FILE.37-01

◉文=沙月樹 京

★《45°》2023年、455×455mm、油彩/キャンバス

サワダモコ

SAWADA Moco

音楽のように
響き合うグリッチ

★《90°》2023年、455×455mm、油彩 / キャンバス

★《120°》2023年、455×455mm、油彩 / キャンバス

★《したのそら》2023年、606×410mm、油彩／キャンバス

★《うえのみず》2023年、606×410mm、油彩 / キャンバス

★《ふりーず》2022年、410×410mm、油彩 / キャンバス

★《しょりおち》2022年、410×410mm、油彩 / キャンバス

★《通行許可》2023年、803×1000mm、油彩 / キャンバス

★《はだかのパーツ》2023年、273×273mm、油彩 / キャンバス

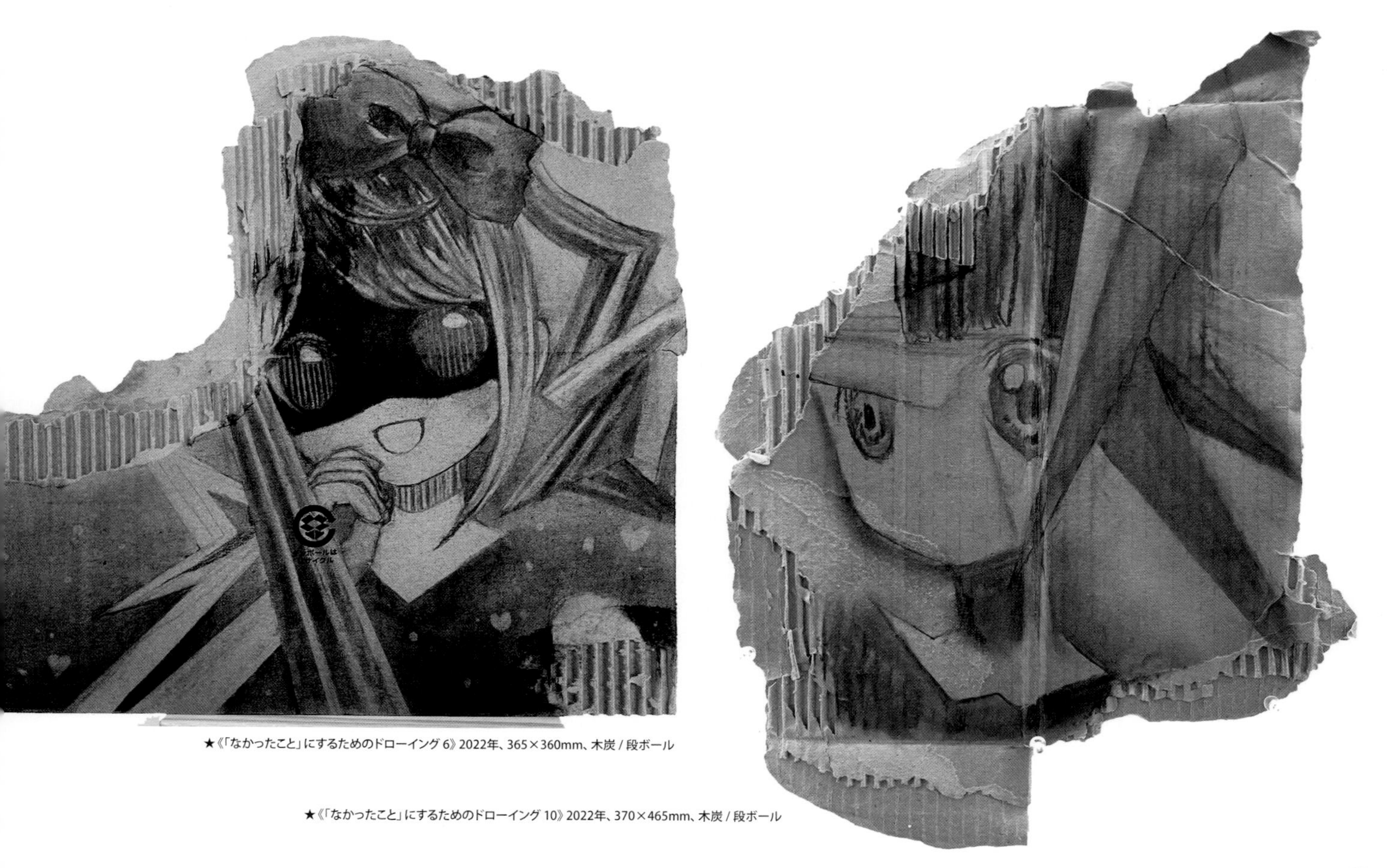

★《「なかったこと」にするためのドローイング 6》2022年、365×360mm、木炭 / 段ボール

★《「なかったこと」にするためのドローイング 10》2022年、370×465mm、木炭 / 段ボール

★《彼女のカケラかもしれない 1》2023年、180×180mm、油彩 / キャンバス

★《彼女のカケラかもしれない 2》2023年、180×180mm、油彩 / キャンバス

★《彼女のカケラかもしれない 3》2023年、180×180mm、油彩 / キャンバス

少女はデジタルの海の中、ノイズに侵され壊れながらも生き続ける

音楽の印象を絵にする、というと、ワシリー・カンディンスキーやパウル・クレーの名が思い浮かぶかもしれない。しかし今回サワダモコが試みたのは、単なる音楽から絵画へのアプローチではなく、サワダの絵のイメージから楽曲を作ってもらい、その楽曲を聴いてサワダが作品を描くという、双方向のやりとりによる制作だ。互いに影響し合った音楽と絵画が、それぞれ誕生した。

楽曲の提供者はeicateveとdaph。サワダは、印象の異なる曲を作る2人を選んだのだという。そして出来上がったeicateve「Glitch Girl」から《したのそら》を、daph「Mystic Reflection」から《うえのみず》を描き出した(注1)。

サワダモコの絵の特質は、なんといっても「グリッチ」の表現にあるだろう。グリッチとは、何らかの不具合により動画の画面などに入る乱れをいうが、それを少女や風景の図像に挿入してきた。かわいいはずの少女像が、唐突な直線などにより切り刻まれたりする。しかも、そうしたデジタルなノイズに侵された場面を、油絵で丹念に描き出していくのだ。そのグリッチが、ある意味ポリフォニー（多声音楽）のように共鳴しあい、サワダの作品を音楽に近しいものにしていると言うこともできるかもしれない。

サワダはもともと音楽ゲームが好きで、そうした音楽の作曲家に強い憧れを持っていたのだという。今回依頼した2人も、音楽ゲームに関わりのある作曲家だ。サワダは、2人のグリッチの解釈が、まったく正反対だったことに感嘆した様子で、よりノイジーなeicateveの楽曲からはバラバラに壊れた少女を、心地よいリズムにノイズが紛れ込んでいくdaphからは、深海を浮遊するかのような少女を描き出した。少女の視線やタイトルが対照的なのは、グリッチの解釈の正反対さが反映されているのだろう。

今回の個展の他の出品作では、《45°》《90°》《120°》がなんともユニーク。デジタルノイズの侵食を受けてきた少女が、これらでは何かの部品の一部になったかのように、決められた角度に回転させられている。また《通行許可》では現実に近い風景が描かれているが、その中心にはグリッチに侵された少女。背後のモニタに映った似た少女と相まって、リアルとヴァーチャルとが交錯して見える。もしかしたら改札前の少女は、エラーによってそこに意図せず出現してしまったのだろうか。

その場所はJR大阪駅のうめきた地下改札がモデルだといい、そこは顔認証改札などもある近未来的なところ。そうした場にもグリッチは入る。いや、そうした場所だからこそ、グリッチに侵されやすいのかもしれない。そんなデジタルの海に呑まれた少女の心象を、サワダは幻視し続ける。

（沙月樹京）

※サワダモコ 個展「45°」は、2023年4月15日～26日に、大阪・中崎町のSUNABAギャラリーにて開催された。

(注1) 楽曲はYouTubeで視聴可能。サワダモコのYouTubeチャンネルを参照のこと。

◉文＝志賀 信夫

★《獺祭ナイトI.》2019年、100×46cm、ケントボード紙にアクリルガッシュ

美濃瓢吾

MINO HYŌGO

「記憶」を丁寧に「想像する」。

★《吉原ジオラマ酉の市》2018年、75×35cm、ケントボード紙にアクリルガッシュ

★（左頁）《高崎山大入習合図》2023年、57.5×48.5cm、ケントボード紙にアクリルガッシュ

★《暮露々々団》2011年
★《野槌》2011年
★《手の目》2011年
★《山颪》2012年
★《五徳猫》2012年
★《鉄鼠》2012年
★《豆腐小僧》2012年
★《姑獲鳥》2012年
★《瓶長》2012年

※この見開きの作品はいずれも、25.0×17.4cm、ケントボード紙にアクリルガッシュ

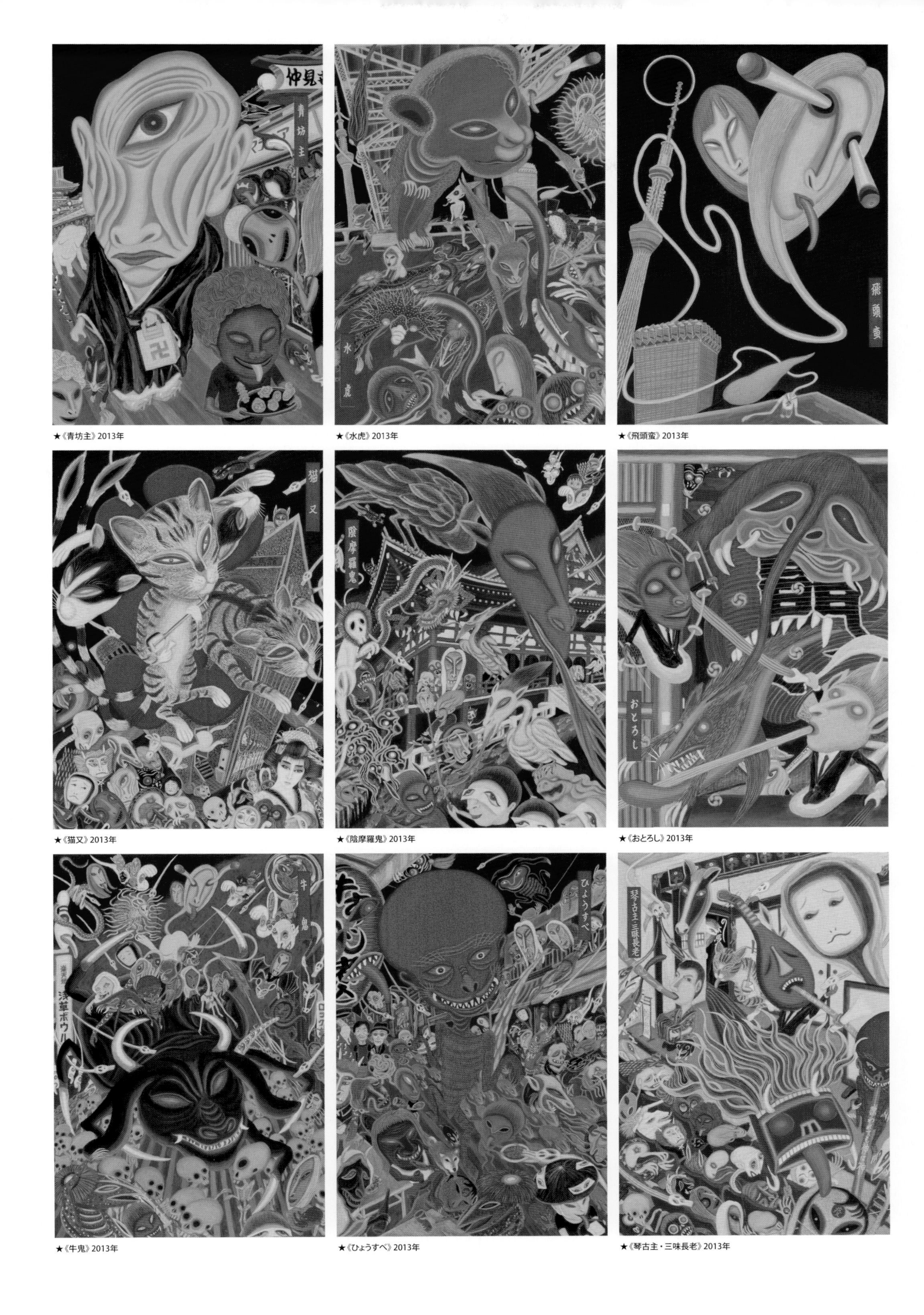

★《青坊主》2013年

★《水虎》2013年

★《飛頭蛮》2013年

★《猫又》2013年

★《陰摩羅鬼》2013年

★《おとろし》2013年

★《牛鬼》2013年

★《ひょうすべ》2013年

★《琴古主・三味長老》2013年

★《白澤》2015年

★《目競》2011年

★《以津真天》2017年

★《毛娼妓・うわん》2016年

★《般若・玉藻前・絡新婦》2015年

★《どふもふも》2015年

★《栄螺鬼》2014年

★《塗仏》2016年

★《覚・彭侯・百々爺》2016年

※この見開きの作品はいずれも、25.0×17.4cm、ケントボード紙にアクリルガッシュ

★《山童》2016年／晩年、平賀敬が住んだ箱根湯本の浴場（内風呂）。ヨーカイたちに交じり、本人（手前）と私。

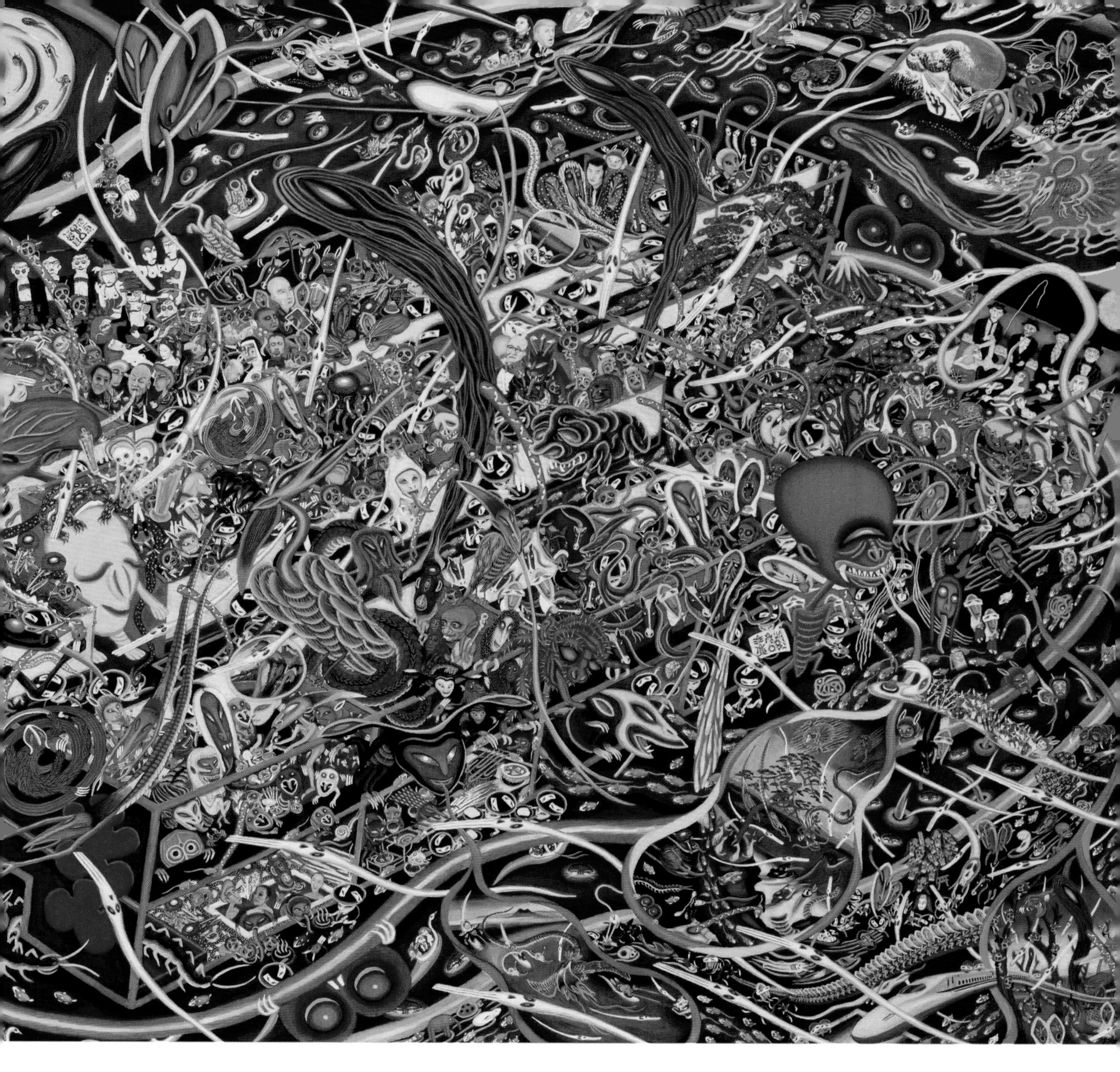

実在の光景・事物と妖怪などが入り乱れる色鮮やかな幻想画

美術団体展と人人展

美濃瓢吾（ミノヒョーゴ）、奇妙な名前である。作品も奇妙だ。彼の作品と出会ったのは、東京都美術館、「人人展」だが、このような美術団体は数多くある。

東京都が公募した一九〇七（明治四〇）年の文展を発祥とした官展が一九一九（大正八）年に帝展、一九五八（昭和三三）年に民営化されて日展となり、また、一九一四年に文展から分かれた二科会などから独立美術協会、二紀会、一陽会、行動美術協会などが分岐、独自のものも含めてあまたの団体がある。これは日本独特ともいえる美術団体・展覧会のあり方だ。その多くは公募展システムをとり、応募して審査され評価されると、年に一～数回の展覧会で展示される。その際に賞などが設定され、文部大臣賞など政府や公共団体などの賞を授与する団体もある。そして、その評価によって会友、準会員、会員、さらに理事などへと進むシステムの組織もある。

ジャンルも大きく分けると具象、抽象、さらに幻想、混淆など多様で、分野も彫刻・立体、写真、イラストを含むなど実にさまざまだ。日展などの大きい団体の公募展は作品も数多く、全部見ると半日かかるほど。そして、これらの公募展・団体展は、東京では東京都美術館が多くを担ってきたが、二〇〇七年の国立新美術館の開館から、二館が棲み分ける形となった。

一九七四年に設立された「人人会」は、これらの公募展組織とは異なる。基本的には会員と、呼びかけ会員、ゲストなどによる展覧会組織で、作品も幻想的、個性的なものが多い。作家一人の出展点数も多く、一つの壁ごとやコーナーの展示で、作品と作家をしっかり理解できる。一般の公募展が一人一点から二、三点まで、しばしば二段、三段と上下に並べられるのとは大違いだ。

人人会の中でも異彩を放つ

この人人会に足を運んだきっかけは、舞踏公演の常連の老美術コレクターから、画家、佐熊桂一郎（一九二九～二〇〇六）の作品を紹介されたことだった。加藤泉や会田誠などを含めて近・現代美術を多数コレクションする彼の自宅で見た佐熊の作品に魅了された。そして扱う日本橋の日本画廊と人人会に作品を見に行ったのだ。日本画廊は、佐熊とともに山下菊二（一九一九～八六）の作品も扱っていた。そして、山下も人人会の創設メンバーだった。

★《品川ドリーム》2022年、120×56cm、ケントボード紙・パネルにアクリルガッシュ

『あけぼの村物語』（一九五三）で知られる山下菊二は、日本のシュルレアリスムともいわれ、戦争や天皇制を取り上げた社会派画家としても有名だ。その山下、佐熊と、抽象画家の中村正義（一九二四〜七七）、瞽女で知られる斎藤真一（一九二二〜九四）、本誌file.21でも取り上げた大島哲以（一九二六〜九九）、絵本作家の田島征三（一九四〇〜）、日本画で豊橋市に名を冠した賞がある星野眞吾（一九二三〜九七）の七人が立ち上げたのが、人人会である。「人人」は、本当は「人と人は平等」という考えから「人」の字が二つ横に並んだ一文字で表記するのだが、活字では難しく、並べた二字で示すのが通例となっている。本誌file.36で取り上げた大野泰雄も人人会で出会った美術家であり、ほかにも本誌では亀井三千代、渡辺つぶら、箕輪千絵子などを取り上げてきた。

美濃瓢吾も近年は人人会で毎年見ており、その印象は、強烈な幻想感覚と、日本の伝統文化が混じり合った奇妙な作品を生み出す画家だ。白目や目立つ目のある奇怪ともいえる顔の集合、そして曲線でデフォルメされた画面に、神社の絵馬や昔の額絵、古い芝居小屋の看板のような雰囲気で、さまざまな事物が集積し、描き込まれている。

きわめて個性的な作家が多い人人会でも毎年、その独自の作風で異彩を放つ。一般の団体展・公募展は、多くが地域で教える会員や理事の弟子たちが応募・出展するため、似た作品が多数並ぶのだが、人人会はまったく異なり、全然違うタイプの作品が強い意志をもって展示されている。それも、この会を毎回見に行こうと思わせる点だ。そしてそのなかでも、美濃は際立って個性的といえる。どうしてこのような作家が生まれたのだろうか。

平賀敬に師事し受けた薫陶

美濃瓢吾は、一九五三（昭和二八）年、大分県別府市生まれ。美術大学ではなく、立教大学の経済学部経営学科卒業。在学中四年間、大学の美術サークル、サパンヌ美術クラブに参加した。これは、本誌file.30で取り上げた、高松潤一郎も参加していたものだ。美濃はそのとき初めて、油絵を始めた。

美濃は大学卒業後、出版社に勤務するが数年でやめて、画家を本業とする。それには、サパンヌの先輩でもある画家、平賀敬との出会いが大きい。平賀敬（一九三六〜二〇〇〇）は、日本のポップアートとも称された強烈な色とデフォルメされた顔や構成で一世を風靡した画家だ。一九六四年の国際青年美術展で大賞を受賞してパリに留学、六八年の五月革命に関与したともされ、七七年に帰国後、神奈川県の大磯に住み、ロンドンポップな服装と、秋山祐徳太子や種村季弘など多くの作家などとの交流でも知られる。

美濃はその平賀と出会い、ちょうど鎌倉の住居が立ち退きになったことから、平賀のアトリエの離れに寄宿。そこでさまざまな薫陶を受けた。当時のことを、美濃は『逐電日記』（二〇〇九）に記している。美濃は画家になるにあたって、平賀か

★《花下臨終図I.》2001年、260.6×162.0cm、キャンバスにアクリル

ら受けたものを一八項、列挙しているが、これがきわめて興味深い。例えば「写し」、「しつこく」描け、「手と足の先っちょは丁寧に」、「絵と関係ない仕事を」、「画廊へ顔出す」、「とにかく俺を見てろ」などがある。

その「写し」に従って、美濃はそれまで大木の根を描いていたのが、平賀のアドバイスで、ひたすら畳を油絵でキャンバスに描き続けることになる。そして、骨董好きの平賀と訪れた個人宅で購入した招き猫を、その上に描いたことがきっかけで方向が決まり、画家としての活動が注目されるようになる。

絵画は「娯楽でもいい」

美濃はやがて、絵を描く景観を求めて平賀の元を離れ、小田原市の根府川に住む。そして、「絵と関係ない仕事」のために、浅草の芝居小屋、木馬館の売店で働き、木馬館の一室で絵を描くようになる。そのきっかけは、映画監督の根岸吉太郎だ。『遠雷』（一九八一）で知られる根岸が、下北沢の酒場にかかっていた美濃の絵に興味を抱いた。根岸の両親は木馬館をやっていて、父親が急逝したため、母だけでは大変なので、売店を手伝ってほしいと美濃にもちかけたのだ。そのことは、『浅草木馬館日記』（一九九六）に記される。さらに、大磯で通っていたラーメン屋にあった大入額を入手、これらが美濃の画風を決定づけたといえるだろう。芝居小屋で「見世物」の意識を抱き、絵画は「娯楽でもいい」と思うようになったという。そこから招き猫、福助、祝額（大入額）という題材が美濃の作品の中心になる。

人人会との出会いも、平賀敬だ。フランスから帰国して、大磯にアトリエを構えた平賀に、人人会から呼びかけがあり出品したが、そのときに平賀から、「来年はおまえも出品しろ」といわれた。畳の絵の上に描いた『畳の上の福助』を見た平賀は、自分の部屋の佐熊桂一郎の作品を指さして、「おまえがやる画はこれだ」といったという。以来、美濃は毎年、人人会に出展している。

種村季弘らとの交流

そして、平賀とのつながりから、ドイツ文学者、種村季弘、美術家の秋山祐徳太子とも交流を深めていく。平賀の家の二軒先に、種村季弘は住んでいた。美濃は『浅草木馬館日記』を記したことで、「浅草人間絶景論」という主題をつかむが、それについては、浅草を頻繁に訪れた種村が論じている。美濃によると、「人間絶景」とは、人間の肖像とそれにまつわる「風景」を描くことで、人間を「実体なるもの」にしようということだ。そのコンセプトで、美濃の画面にはさまざまな人物が描き込まれていく。美濃には「泡沫性」も重要な要素だ。秋山祐徳太子が、都知事選に立候補したときに、「泡沫候補」とされたことから、秋山が知られざる前衛美術家たちを「泡沫桀人」として論じたことから、美濃も「泡沫性」を強く意識してきた。

また、ニキ・ド・サンファールを日本に紹介したスペース・ニキの増田静江とも交流があった。二〇号だけで十二カ月を描いた「招き猫」展を、上野のスペース・ニキを半年借りて制作して行ったのだ。増田はその後、栃木県那須にニキ美術館を開館したが、彼女の没後、閉館されたのは非常に残念だ。さらに、美濃が、根津を経て静岡県の薬科に移転すると、種村が訪れて、「ここは出そうな家だ。お化けを描いてみてはどうか」といった。それがきっかけで、美濃は現在も続く「妖怪画」にすすむことになる。

妖怪画と写句

美濃は妖怪を描くときに、鳥山石燕の『画図百鬼夜行』（一七七六）を参考にしている。だが、彼はそれまでの妖怪の伝説や物語とは関係なく、自分のヨーカイ（妖怪）という新しい性格を与えている。自分と絵の間に「ヨーカイ」を介入させて、「浅草と妖怪をポケットに入れて持ち歩く」と述べている。

また、美濃は「幻想」がシュルレアリスムまでに昇華されれば本望、ともいう。そして、「記憶」を「想像する」作業を「丁寧に」やり続けることが、強烈な個性につながると考えている。自分の技法についても、「写し」、「模写」は重要で、「丁寧に」行うこと、平賀敬も「はみ出し」だけには気をつけろ、が口癖だったそうだ。美濃はその後、静岡から大分県佐伯市に移り画家として活動している。

近年は、俳句の言葉を独特の文字で描いた「写句」も発表している。美濃は以前、「酔眼朦朧湯煙句会」をやっていて、選句や合評の際に、メンバーの句を墨で書いてい

★《花火》2007年、30.2×24.1cm、ケントボード紙にアクリルガッシュ

★《花やしきララバイI.》2001年、130.3×162cm、キャンバスにアクリル

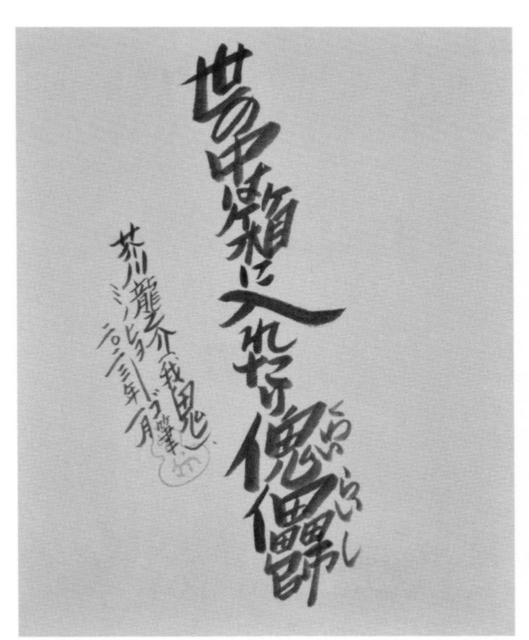

★《写句（芥川龍之介）》2023年、墨・紙

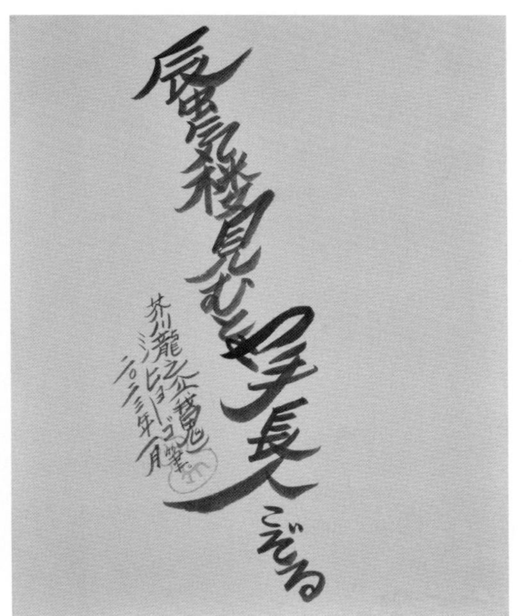

★《写句（芥川龍之介）》2023年、墨・紙

た。それが、還暦（六〇歳）のときに大病をして、ベッドで芭蕉、蕪村、一茶、子規、耕衣……などの俳句を墨で写したり、友人である大野泰雄の句を描いたりするようになって、「写句」と呼ぶようになった。それは、種村が、「目が見えにくくなったら、書（字）でもやってればいい」といっていたことも背景にあるという。

この「写句」は、芝居小屋の勘亭流の流れとも見えるが、勘亭流の文字はあくまで名前を目立たせる装飾であるのに対して、美濃の写句は、その文言を際立たせ、見る者に届かせようという表現になっている。それは絵のみならず言葉、文章にもこだわる美濃ゆえだろう。

溢れ続ける特異な幻想世界

影響を受けた人については、述べてきた人々に加えて、ネオダダ・オルガナイザーズの一員で、奇妙な犬の彫刻で知られる吉野辰海（たつみ）をあげた。そして、自らその絵を描くたびに、描く絵の中のそれぞれの対象に影響を受けるという。

このように、招き猫・福助・祝額などのモチーフから「人間絶景」としての人物、さらにそこに「妖怪画」の要素が加わり、美濃瓢吾の作品は、さまざまなヒト・モノがてんこ盛りになった混沌を内包しながらも、一つひとつの内容にモノがたりが読み取れる複雑怪奇なものとなっている。だが、それを独自の様式とともに描くことで、祈りが感じられる「奉納額」ともなっているといえる。これらは「写句」とともに、その様式性によって、美濃瓢吾にしか生み出せない、特異な幻想世界に導いてくれる。ぜひ、毎年春に行われる人人展で、美濃の世界に触れてほしい。

近作については、完成した『高崎山大入習合図』と今後描く予定として、『別府大入八湯図』、『江の島ダンシング』、『獺祭ナイトⅡ』、『神戸オクトパス』、『紅白泉水妖怪歌合戦』、妖怪による『七人の侍』をあげた。笑い、道化、茶化し……としての「妖怪ユートピア」、タイトルだけで、もう楽しそうではないか。そして、この六～七月には、大野泰雄との「写句」による二人展「それからの俳句な日々」を愛知県幸田のギャラリー・喫茶 RIEN で予定している。

（志賀信夫）

●文＝沙月樹京

★《人形遊び、いつやめた？》2023年、デジタルペインティング

★《もう寝る時間だよ。》2023年、デジタルペインティング

★《影絵あそび。》2023年、デジタルペインティング

真珠子 SHINJUKO

何に対しても
少女は興味津々

★《落っこちそう。》2023年、デジタルペインティング

★《あれ?何かいた。》2023年、デジタルペインティング

★《覚悟。》2023年、デジタルペインティング

★《懐かしいメヌエット》2023年、デジタルペインティング

おばあちゃん家で体験する奇妙な夜の出来事を軽やかに描き出す

真珠子の作品にはメッセージが詰まっている。観る者は図像としての面白さとともに、少女の持つ思いや、少女を取り巻く物語をそこから読み取り、その世界に引き込まれることになる。しばしば伸びやかな線によって少女の肢体は奇妙に歪んだりするが、それゆえ読み取るメッセージも、おのずと型にハマらない奔放さを帯びることになるだろう。

しばしばそのメッセージが、文字として作品の中に書き込まれることもあるし、OLやドイツ旅行の体験談などのように、絵と文字で漫画のように表現した連作もある（作品集『真珠子メモリアル』の巻末に収録された「女教師しんじゅこ」もそのひとつ）。とにかく真珠子の作品には、何かを伝えたいという思いが満ちているのだ。

個展「うさ子の夜」は、その思いが明確な物語として提示された展示だった。溢れ出た物語を元に数々のシーンが描かれ、会場にびっしりと並べられた。

主人公は、うさ子。そのうさ子が夜、おばあちゃん家で奇妙な体験をする。知らなかった小さなドアから真っ暗な部屋に入り、そこで影絵あそびをしたり、小さい頃遊んでいた人形を見つけたり。そして、どこかいつもと違う、おばあちゃんとおじいちゃん。ドアから覗き見ている「小さな丸くて耳が長いヤツ」。おばあちゃんの、「魔女の地下室みたいな石の部屋」にいるときもそれが覗いていて……。少々突拍子もない物語だが、それがかえって夢の世界のような軽やかな怪しさを醸している。少女の通過儀礼的なニュアンスも感じられ、暗喩を探りたくなる部分もある。

実は今回は、真珠子がデジタルで描いた作品を発表する初めての展示でもあった。真珠子の作品はカラフルな印象があるが、色が自在なデジタルであっても墨絵のようにモノクロで描き、夜の闇の空気感をシンプルに描き出した。

そして、闇の中の怪しい出来事に遭遇しても、少女に少しも怖がる様子がないことが真珠子の世界らしいと言えるだろう。その少女は何に対しても興味津々なのだ。さらに言えば、それは新しいことに挑み続ける真珠子の創作態度にも共通している。次もまた新たな試みを見せてくれるにちがいない。

（沙月樹京）

★真珠子 作品集
「真珠子メモリアル～"娘、を育んだ20年」
B5判・カバー装・128頁・定価税別3200円
発行・アトリエサード、発売・書苑新社

※真珠子 個展「うさ子の夜」は、2023年3月3日～19日に、東京・大久保の名曲喫茶カオリ座にて開催された。

◉文＝並木誠

ひらの　にこ
HIRANO Nico

繊細さや美しさは、
厳しさや怖さと
隣り合わせにある

★《Cinderella》2022年、45.5×60.6cm、水彩紙に色鉛筆・透明水彩

★《Useless and Amoral》2022年、53.0×41.0cm、水彩紙に色鉛筆・透明水彩

★《Glasses are a phantom》2023年、45.5×38.0cm、水彩紙に色鉛筆・透明水彩

★《Loneliness in the twilight》2023年、38.0×45.5cm、水彩紙に色鉛筆・透明水彩

★《Morning is mean》2023年、31.8×41.0cm、水彩紙に色鉛筆・透明水彩

★《Why can't we love only ourselves?》2023年、31.8×41.0cm、水彩紙に色鉛筆・透明水彩

★《Fever remains in my body》2023年、24.2×33.3cm、水彩紙に色鉛筆・透明水彩

★《Happiness will never come, I know》2023年、24.2×33.3cm、水彩紙に色鉛筆・透明水彩

★《Surely someone is wrong》2023年、22.0×27.3cm、水彩紙に色鉛筆・透明水彩

★《Tonight, Happiness can't make it》2023年、24.2×33.3cm、水彩紙に色鉛筆・透明水彩

諦念に憑かれた少女が併せ持つ清新さと不穏さ

ひらのにこが描く微熱を帯びた少女——その存在は清新な日々の徒然や思春期特有の危うい自意識に彩られている。

ひらのにこ。長野県出身、東京都在住。最初はイラストレーターを志望するも数年で挫折。絵とは別の道を進むが描くことを諦めきれず、SNSで作品を発表したことをきっかけに2014年より本格的に作家活動を始める。水彩やアクリルの初歩は教わるもアカデミックな世界とは無縁で、独学で試行錯誤しながら画業に邁進する。そうした道程で生まれたのが、色鉛筆や透明水彩を何層にも塗り込む独自の技法だ。この技法によって、「淡さの中に感情の重厚さや奥行き、繊細さの中に強さ」が感じられるような少女像を描き出している。

筆名の「にこ」は、ひらのが特別にリスペクトするミュージシャン、ニコに由来する。アンディ・ウォーホルのプロデュースで一時期ヴェルヴェット・アンダーグラウンドに参加したことで知られているが、その音楽性やスキャンダル、独特のオーラある佇まいや衝突して瓦解していく悲哀や破滅的な物語性を含めて、その「在り様」に惚れ込んだとの事だ。

絵画では、19世紀中葉から20世紀初頭に活躍したイギリスの画家アーサー・ヒューズの『オフィーリア』が好きで、またアルフォンス・ミュシャやアーサー・ラッカムからも影響を受けたという。映画もよく観て、ガス・ヴァン・サント『エレファント』、ソフィア・コッポラ『ヴァージン・スーサイズ』、ティム・バートン『ビッグ・フィッシュ』、マーティン・スコセッシ『最後の誘惑』や、レオナルド・ディカプリオが詩人のランボオ役で主演した『太陽と月に背いて』などに強く魅かれたとのこと。一方、一時期は音楽が無ければ死んでしまうと思うくらい音楽に入れあげ、ロック、ポップスや、中でもアンビエントやエレクトロニカを好んで聴くそうである。

今回の個展のモチーフとした太宰治『女生徒』(1939)は、有明淑（しず）というファンの女性から送られてきた日記を太宰治が再編したもので、三か月の長さを一日の出来事に移し替えている。物語終盤での少女の「おやすみなさい。私は王子さまのいないシンデレラ姫」という独白にみられるように、ある種の諦念を中核とした世界観があり、そこに、思春期の少女のリアルともいうべき、日常への倦怠感や罪悪感、焦燥感や社会への疑念など、清濁併せ持つ想念が織り込まれている。ひらのは、「年齢も性別も関係なく、灰色の日々の中、儚い希望と淡い絶望を抱えて生きる全ての『女生徒』への鎮魂曲と福音歌となることを願って」、この、王子さまのいないシンデレラの物語を描いた。

展示作を順に見ていくと、『Cinderella』は、少女の居室の情景。澄清な世界観の中に少女の凛とした意思を感じる。次に百合の花の馥郁とした香りが家と心を満たす様が印象的な『Useless

★《Scent left behind by last summer》2023年、27.3×22.0cm、水彩紙に色鉛筆・透明水彩

and Amoral』。鏡の中の自信のない自分と向き合う『Glasses are a phantom』。薄暮の中に小さな希望と不安と孤独を描き出した『Loneliness in the twilight』。少女の箱庭ともいうべき押し入れに閉じこもる『Morning is mean』。そして青いブラウスが美しくも哀切に響き、『女生徒』の物語を貫く諦念のモチーフともいうべき『Happiness will never come, I know』。晩夏の少女の微熱とその残り香が甘美に漂う『Scent left behind by last summer』。

いずれも、少女の髪の細やかな質感や顔の柔らかい輪郭なども印象深く、それは、ひらのいわく「思春期特有のキラキラとした空気感を真空パックにした」かのような情景だ。そしてその根底には、郷里である長野の北の冬の光景が原風景として存在するのだという。ひらのは「近年は温暖化の影響か雪は少なくなったが、半年近く雪で閉ざされる色のない凍えた世界は、自分の感性の形成に確実に影響を与えていると感じる」という。「天地左右が分からなくなる一面真っ白な空間は、闇に閉ざされるのと同じくらいの恐怖を感じ、黒と同じくらいに白にも畏敬の念を抱いた」そして「水も空気も氷る凍える朝は空気がキラキラと光っていた」といい、その光景が彼の胸の奥深くに焼き付いた。

そのうえでひらのは、「雪は降り積もると家屋を押し潰すが、肩に降りたものをよく見ると綺麗な結晶を形作っていて、繊細さや美しさは、厳しさや怖さと隣り合わせに

★《Forever as a girl》2023年、27.3×22.0cm、水彩紙に色鉛筆・透明水彩

あるものだと小さい頃に感じていた」と感慨を漏らす。彼の繊細な美少女の淡い世界も、雪国の厳しい現実と同じように、崩壊するかのような危ういバランスの上に成立しているのだろう。この清新さと不穏さの絶妙なバランス感覚が、まさにひらのにこの美学でもあるのだ。

ひらのの特質は、『女生徒』に見られる清濁併せ持つ少女の実像(リアル)を描く半面、また一方のリアルである、乙女的潔癖症に由来する不遜や傲慢、憎悪を直接的な表現で描くことを避けながらも、そうした心根を恥と思う自己憐憫の感情を哀れみをもって表現することにある。作品にそこはかとなく漂う、悲哀に満ち諦念にも似た雰囲気は、そのような両義的な少女の想念の裡にあるのだ。

これからも文学作品などをモチーフに自身のテーマを掘り下げてみたいと思っているそうだ。また同時に、現実に対抗するファンタジーとしての耽美的な少女性の追求も試みていきたいという。どう展開していくか、今後も楽しみにしたい。

（並木誠）

◉ひらのにこ出品
グループ展「鏡と窓」
2023年10月7日（土）～22日（日）月・火休
12:00～19:00
入場無料
場所／東京・小伝馬町 みうらじろうギャラリー
Tel.03-6661-7687
https://jiromiuragallery.com/

※ひらのにこ個展「王子さまのいないシンデレラ」は、2022年4月8日～23日に、東京・小伝馬町のみうらじろうギャラリーにて開催された。

◉文＝沙月樹京

★《再会》2022年、530×455mm、パネルに油彩

椎木　かなえ

SHIIKI KANAE

★《おくる》2022年、530×455mm、パネルに油彩

意識の底にイメージを探る

不安や不条理と
可笑しみが同居した
奇態な幻想世界

まるで無意識の底を探るように筆を走らせ、イメージを浮かび上がらせていく。椎木かなえの世界に論理はなく、情動だけがある。しかもその情動は一様ではなく、多様なうごめきが重層的に積み重なり干渉し合っている。

例えば顔。顔やその表情は、椎木の作品においても重要な要素だと思うが、顔の中から顔が覗いたり、顔が分裂したり、身体ではないところに顔が浮かび上がったりと、まったく不可思議なこと極まりない。しかも、それぞれの顔がそれぞれの物語を観る者に投げかけてきて、ややもすると、観ているわれわれも、自身が分裂していくかのような感覚を覚えてしまうのではないか。だが一方で、その画面の中に、奇妙な遊戯のような場面も垣間見られ、不安と不条理に満ちた幻想と、そうした可笑しみとの混交が椎木作品の特質だと言える。

ところでそれに比べると、《再会》《おくる》は、観る者を少々安寧な気持ちにさせる作品だと言えるかもしれない。描かれている顔の表情もどこかおだやかで、卵の形状の中にやさしく包み込むかのような様子も、慈しみを感じさせる。また、色とりどりの風船も、椎木には珍しくポップな印象をもたらしている。

もしかしたらこれらの作品によって、椎木は別のステージに歩もうとしているのかもしれない。初期は闇の中に住む者たちを描いていたのが、やがて空が現れ見晴らしが広がっていった。そして今回の顔の表情。その幻想の行方を、ぜひ見守りたい。

（沙月樹京）

◉椎木かなえ個展「眠りにつく前に」
2023年6月21日（水）～7月2日（日）月・火休
12：00～19：00
場所／ GALLERY CLASS
奈良県奈良市椿井町51 藤本ビル2F西
Tel.0742-24-0228
https://www.galleryclass.com

★椎木かなえ 画集「虚の構築」
A5判・ハードカバー・64頁・定価税別2700円
発行・アトリエサード、発売・書苑新社

★《まぼろしの国にて》2022年、318×410mm、キャンバスに油彩

◉文=沙月樹京

★《明け方の調べ》2023年、380×455mm、油彩 / キャンバス

冨岡想

TOMIOKA SOU

憑かれたように
光らせる目

★《屋根裏のともだち》2023年、455×530mm、油彩 / キャンバス

★《いばら姫》2022年、530×455mm、油彩 / キャンバス

★《ワニゲーム》2023年、410×273mm、油彩 / キャンバス

★《永遠の遊び》2022年、333×242mm、油彩 / キャンバス

★《ままある事例》2023年、318×410mm、油彩 / キャンバス

★《ミニカー》2023年、380×455mm、油彩 / キャンバス

★《繰り返す一秒》2023年、140×180mm、油彩 / キャンバス

★《哲学者の椅子》2023年、242×333mm、油彩 / キャンバス

★《架空国エンプレス》2022年、140×180mm、オイルパステル / 木製パネル

★《へびつかい》2023年、220×273mm、油彩 / キャンバス

★《カルダモンゼリー》2023年、273×220mm、油彩／キャンバス

子供部屋という聖域で ふと起きた 神懸るような瞬間

ラフなタッチの油彩で描かれた子供たち。遊んでいるように見えるが、だが具体的にどのような遊びをしているかは謎だ。《ワニゲーム》には、よく見ると左下にワニがいる。だけどこれがどういう情景なのか、よくわからない。ベッドのようなものの上に子供がふたり。無表情で、ワニに驚いているふうでもなく、いやそもそもワニの存在など目に入ってもいない様子。

《哲学者の椅子》も、背の高い椅子の上下に子供がいる奇妙な光景。下の子供は犬のように見えなくもない。垂れたリボンは何を意味するのか。しかし、意味不明であっても、興味が惹かれる何かがそこにある。観る者にさまざまな想像力を喚起する余白を残した不可思議な場面の数々だ。

これらの作者、冨岡想いわく、子供部屋でのシーンを描いているのだという。「子供が居る部屋というのは家の中で最も霊的なものに繋がりやすい場所かもしれない」「子供部屋という聖域で、ときおり起こる神懸るような瞬間。それらを切り取り、少しずつ拾い集めた」。

とするなら、人知を超えた現象が起きた瞬間をわれわれは目撃しているのだろうか。

確かに、子供の顔を見てみれば、その目にはほとんど黒目がうかがえず、白く光っていたり、灰色に濁っていたりする。まるで何かに憑かれているかのようだ。遊びのさなか、何かの霊力が舞い降りて、呆然と遊びの手を止めた、そんな瞬間のようにも見えなくもない。

それらの中で、《ミニカー》は少々異質だと言えるかもしれない。輪郭線で人物が描かれ、目にも神秘の光はない。ミニカーが頭に乗っている様子も、とぼけた感じでユーモラス。しかしこの作品でも、先述のワニ同様、少女の関心はミニカーに向いていない。人知を超えた現象は、少女の視線の先、画面の外で起きているのではないかとも思わせる。

大人たちの論理から隔絶された子供部屋という聖域。それゆえ、驚きに満ちた場所。われわれが失ってしまった感性を呼び覚ます、不可思議な作品たちだ。

（沙月樹京）

※冨岡想 個展「子供部屋のフォークロア」は、2023年3月18日〜29日に、大阪・中崎町のSUNABAギャラリーにて開催された。

夏目羽七海

NATSUME HANAMI

生死の境を見つめる瞳

◉写真＝田中 流／文＝沙月樹京

★《月に誘われる少女》2022年、h620mm、石塑粘土・ドールフィニッシャー・油彩・グラスアイ

★《真夜中のカンパネラ》2023年、h650mm、石塑粘土・ドールフィニッシャー・油彩

★《双子の心臓2》2019年、h650mm、石塑粘土・ドールフィニッシャー・油彩・グラスアイ

★《双子の心臓1》2019年、h650mm、石塑粘土・ドールフィニッシャー・油彩

★《白昼夢の中の少女達 蔓》2023年、h600mm、石塑粘土・ドールフィニッシャー・油彩

★《白昼夢の中の少女達 棘》2023年、h600mm、石塑粘土・ドールフィニッシャー・油彩

★《カムパネルラ―星蝕―》2019年、h700mm、石塑粘土・ドールフィニッシャー・油彩・グラスアイ

★《ヴァニラ色の夜》2023年、h540mm、石塑粘土・ドールフィニッシャー・油彩・グラスアイ

★《おばけちゃん2》2023年、h70mm、石塑粘土・ドールフィニッシャー・油彩・針金

★《おばけちゃん3》2023年、h70mm、石塑粘土・ドールフィニッシャー・油彩・針金

★左から《単眼うさぎ ノーマル1》《単眼うさぎ ノーマル2》《単眼うさぎ ノーマル3》
いずれも、2023年、h120mm、石塑粘土・ドールフィニッシャー・水彩・グラスアイ・布

★（いずれも）《エッグ》2020年、h45mm、石塑粘土・ドールフィニッシャー・油彩

★展示風景／左手前は《月に誘われる少女》

光と闇の分かれ道——
それぞれの宿命を背負った人形たち

目線をどのようにするか、それは絵画においても重要だろうが、人形においてはましてそうだろう。その目を見つめることで、人形と対話したりするものだ。だからというわけではないが、その目を縫い付けた夏目羽七海の人形の写真を見たときは、結構衝撃的だった（田中流球体関節人形写真集『Dolls 2～瞳に映る永遠の記憶』に収録）。リボンで×印に縫い付けられた目。それは見ることを禁じているのだろうか、それとも闇の世界を生きるその人形の手向(たむ)けとして、華やかなリボンで飾ったものなのだろうか。

夏目の人形は、そうでなくても、どこか虚空を見つめているかのような目をしている。宿命を受け入れ、終末の時を待つかのような、力ない視線。《月に誘われる少女》の顔には、月の満ち欠けが痣として刻まれている。新月になると、少女は月へ連れて行かれてしまうのだという。おそらく、そのような宿命をどの人形も秘め、受け入れているのだろう。

今回開かれた個展では、《双子の心臓》《白昼夢の中の少女達》と、対になった作品が目についた。腹部がつながった《ヴァニラ色の夜》も、その類だと言えるだろう。対の作品は似た容姿をしながらも、閉じた目が左右で違うなど、対照的な部分がある。根源を同じくしながらも、それぞれ違う道を歩んでいるということだろうか。対にすることで、授けられた運命のあり方が、より鮮明になる。

個展タイトルにある「薄明」の時は、光の世界と闇の世界の、生と死の分かれ道。リボンで目を縫われた人形は闇の世界を行くのだろう。片目を閉じた2体の《白昼夢の中の少女達》は、互いに光と闇を分かち合ったのかもしれない。そうした宿命が醸すメランコリーに魅了された個展だった。　（沙月樹京）

★《ブロンシュ》2022年、h270mm、石塑粘土・ドールフィニッシャー・油彩・モヘア

※夏目羽七海 個展「薄明のCampanella（カンパネラ）」は、2023年2月16日～20日に、東京・曳舟のgallery hydrangeaにて開催された。

◉文＝沙月樹京

丹羽起史
NIWA TATSUFUMI

人知れぬ土地の神話を創出

★《Como un Arcangel》2022年、150.0×147.0cm、パネルにジェッソ・油彩

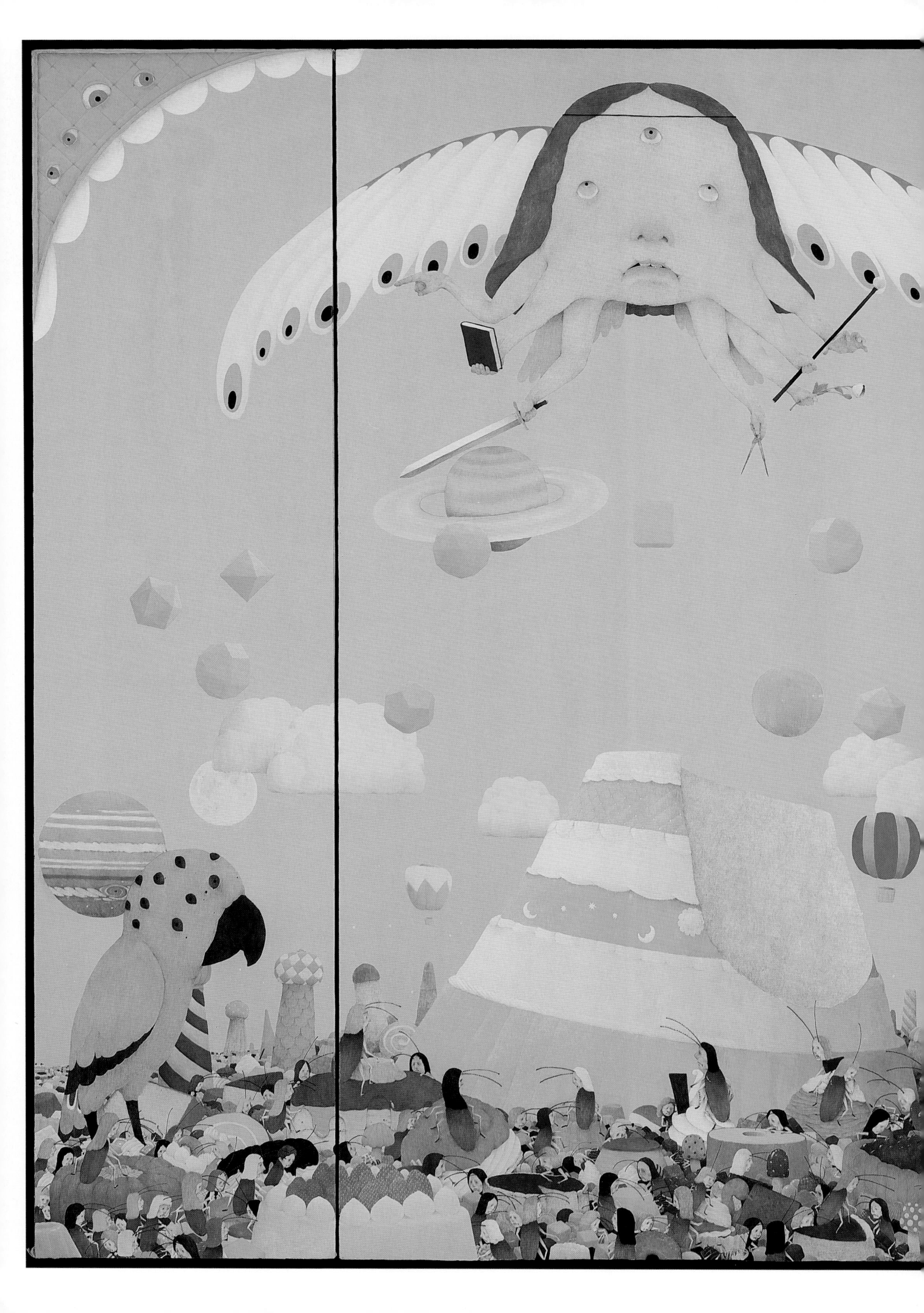

★《数学の女王》2019年、45.0×30.0cm、パネルにジェッソ・油彩・テンペラ

★《Katzen Kazpell》2021年、53.0×45.5cm、パネルにジェッソ・油彩・テンペラ

★《スイート・マテマテカ 2》2019年、45.0×45.0cm、パネルにジェッソ・油彩

★《猫浄土》2019年、30.0×41.5cm、水彩・水彩紙

★《不快の森》2010年（2022年加筆）、90.0×180.0cm、パネルにジェッソ・油彩

★《Yawn》2021年、24.5×24.5cm、水彩・テンペラ・水彩紙

★《Sigh》2021年、24.5×24.5cm、水彩・テンペラ・水彩紙

★《Holiday》2021年、90.0×90.0cm、パネルにジェッソ・油彩・テンペラ

やさしげな異形が行き交う
魔術的かつ科学的な
寓話の世界

個展タイトルにある「Naio-Lopt」は、名寄市の語源となったアイヌ語から採ったのだという。自身の一番古い記憶がその街なのだそうだ。とはいえ作品自体は、別にその街の情景を描いたものではない。しかし丹羽起史の作品には、どこか人知れぬ地域に眠っていた神話や民話を絵にしたかのような、超常的で饒舌な物語性がある。

そこには、奇妙な動物や奇妙な造形物などが満ち満ちている。かと思えば、立方体や八面体などの物体が宙に浮いていたり

★《スイート・マテマテカ》2018年（2023年加筆）、
37.0×60.0cm、パネルにジェッソ・アクリル・油彩

する。魔術的のようで、科学的なような、なんとも不思議な異界の光景。空が青でないところも、現実とは違う異界的な雰囲気を醸し出していると言えるだろう。

今回の個展のメインとなった大作《Como un Arcangel》も、ベージュ色の空が大部分を占める。そこに浮かんでいるのは、手がたくさん生えた3つ目の天使。その下にはケーキのバベルの塔がそびえ、地面はお菓子で埋め尽くされ、そしてそれらに人の顔をした虫が数多群がっている。天使は何か啓示をもたらそうとしているふうにも見えるが、上を見上げている虫は皆無で（たぶん）、眼の前のことを処理するのに精一杯な様子だ。空の広大さと地面の窮屈さが非常に対照的で、なんともシニカルさに溢れている。

とはいえ、その虫たちのような愚直的なかわいらしさが、丹羽の作品の特質のひとつだろう。輪になって回る猫たち。さまざまなものを携えて並ぶ猫たち。寝ている女の子のまわりを遠巻きに眺めるさまざまな生き物たち。みんな害を与える存在ではなく、異形的な姿をしていても、根は真面目でやさしそうだ。

そんなほっこりさもある寓話的世界で、丹羽は観る者を魅了し続ける。

（沙月樹京）

※丹羽起史 個展「the Great Naio-Lopt Show」は、2023年2月11日～21日に、東京・京橋のスパンアートギャラリーにて開催された。

◉文＝沙月樹京

★金子國義《告知》1981年、油彩・キャンバス

TOPICS

Bunkamura Gallery 8/ オープニング記念展

★菅原優《学長-Academy headmaster-》2018年、油彩・アルキド樹脂・ボード

★三浦悦子《baby ブロッケン》2023年、石塑粘土・硝子目・布

★村上仁美《薔薇の姉妹》2020年、陶

★衣（HATORI）《八百比丘尼（やおびくに）》石塑粘土・本絹・油彩・パステル他

★トレヴァー・ブラウン《Usagidama（兎魂）》2023年、油彩・キャンバス

独自の美学を追究する先鋭的な作家たち

東急百貨店本店に隣接し、コンサートホール、劇場、美術館、映画館などを備えた文化施設としてBunkamuraが開館したのが1989年。同時にBunkamura Galleryも、多くの人が行き交う1階に、ガラス張りの開放的なスペースとしてオープン。以来、多様なジャンルの作家を紹介してきた。しかし今年4月、東急本店の建て替えに伴い、Bunkamuraはオーチャードホールを除き長期休館に。そこでBunkamura Galleryは、6月に渋谷駅直結の渋谷ヒカリエの8階に移転し、「Bunkamura Gallery 8/」として再出発した。

Bunkamura Gallery 8/では現在、オープニング記念の第一弾「Opening Selection」を3会期にわたって開催中だ。7月15日からは、その「Vol.3 Dark」が開かれる。そこでピックアップされるのは、エロスやタナトス、背徳感に彩られた6人のアーティストたち。Bunkamura Galleryが扱って来た中でも、もっともアヴァンギャルドさを感じさせる面々だ。その独自の美学に大いに刺激されたい。（沙月樹京）

◉「Bunkamura Gallery 8/ オープニング記念 第一弾 Opening Selection -Bright,Calm,Dark- Vol.3 Dark」
2023年7月15日（土）～30日（日）
会期中無休　11:00～20:00　入場無料
出展作家／金子國義、菅原優、トレヴァー・ブラウン、衣（HATORI）、三浦悦子、村上仁美
場所／東京・渋谷ヒカリエ8F Bunkamura Gallery 8/
Tel.03-3477-9174
https://www.bunkamura.co.jp/gallery8/

◉文=沙月樹京

★《過剰デコレーション》2022年、242×333mm、アクリル絵の具 / キャンバス

★《耳を塞ぐ》2022年、530×455mm、アクリル絵の具 / キャンバス

スミシャ
SUMISHA

大きな目は
自由への意思か

★《イマジナリーフレンドフォーエバー》2022年、242×333mm、アクリル絵の具 / キャンバス

★《金魚鉢にタコを飼う》2022年、333×242mm、アクリル絵の具 / キャンバス

★《おそろい》2022年、242×333mm、アクリル絵の具 / キャンバス

★《燃えるスニーカー》2022年、242×333mm、アクリル絵の具 / キャンバス

★《ゼラチンで武装する:グレープ》2022年、242×333mm、アクリル絵の具 / キャンバス

★《ゼラチンで武装する:ピーチ》2022年、242×333mm、アクリル絵の具 / キャンバス

★《フラワーアレンジメント》2022年、242×333mm、アクリル絵の具 / キャンバス

★《くまちゃんアイス大盛り》2022年、333×242mm、アクリル絵の具 / キャンバス

世間の常識に縛られず
好きなおしゃれをする
意思の強さが目に表象される

顔のほとんどを占めるくらい大きな目をした子供。上半分は青く、下半分は赤く縁取られ、ちょっと不気味な感じもしなくもない。鼻はほどんとないに等しく、小さな口が付いているが、この描写がわりとリアルだったりする。スミシャの描く絵は、ひと目見ただけで大きなインパクトを観る者に与える。

目が大きいことは、少女漫画が典型例であるように、かわいらしさの代名詞でもある。そうした漫画では、主人公の目だけが大きく、サブキャラの目は普通だったりもすることもある。注目すべき存在に当たるスポットライト代わりの役割を目の大きさが担っていたりするわけだ。そして、「かわいい」は日本のポップカルチャーの代表的な価値観として世界に広まっていったが、それを図像化する際に欠かせないものとして、「大きな目」があることは言うまでもなかろう。

スミシャの描く人物像は目の大きさにおいて、その「かわいい」を、より過剰に表現したものだと見ることもできよう。スミシャは実は、中国語圏での人気が高い作家だという。2020年に台湾でのグループ展に参加して以降、台北ではすでに2度の個展を開催している。その人気の要因はひとつではないだろうが、日本の「かわいい」を肥大化させたその目が大きなポイントになっているのではなかろうか。

とはいえ、スミシャの作品に「かわいい」との関連ばかりを探るのは、違うかもしれない。今回の個展のステートメントにはこうある――「学生の頃、全身ショッキングピンクでパンダのぬいぐるみリュックを背負って楽しくしていた」が、「最近は良い年になって少しずつ地味になって」「知らない間に自分が自分の考える世間の常識に縛られているのだと思いました」「絵の中の子たちが何にも囚われず自由に自分の好きなおしゃれをしているのを見てほしいです」。

想像するに、目の大きさは、その子らの自由さ、常識に縛られるもんかという意思の強さをも表しているのかもしれない。過剰にカラフルに着飾った自分に常識を強いる目線を送る存在に対して、その目線を跳ね返すだけの力を持った目。《ゼラチンで武装する》と題された作品が象徴するように、外からの目線には武装して挑まないといけないのだ。

だからスミシャの作品には、「かわいい」にとどまらない、自由を失わないでいようとする意思が感じられるのではないか。そのあたりも、もしかしたら、中国語圏の人気の要因のひとつなのかもしれない。（沙月樹京）

※スミシャ 個展「過剰デコレーション」は、2023年1月7日〜18日に、大阪・中崎町のSUNABAギャラリーにて開催された。

◉文＝沙月樹京

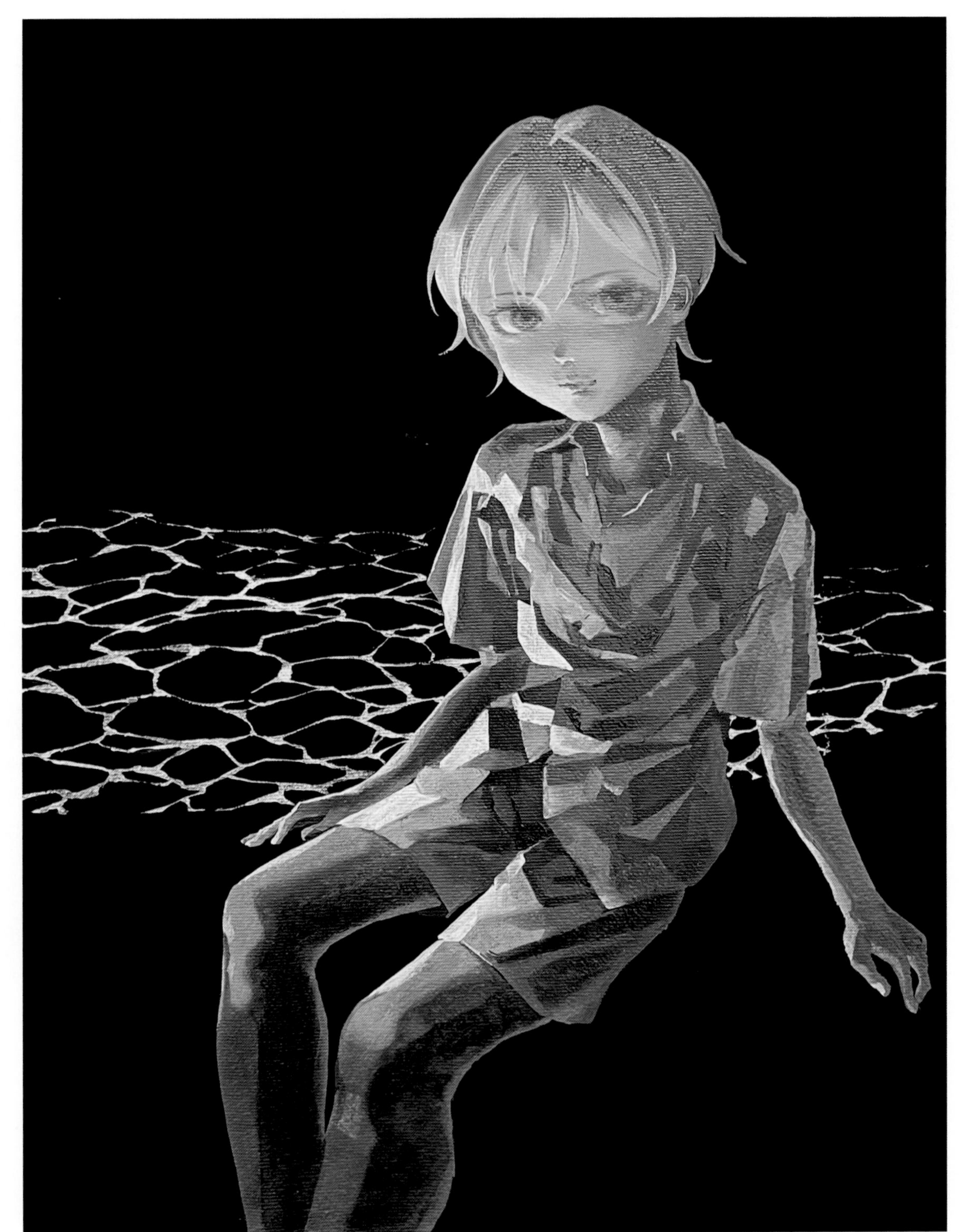

★《Midnight》2023年、242×333mm、アクリル絵具・油彩／キャンバス

神野歌音

JINNO CANON

グレイの中に神秘の色が灯る

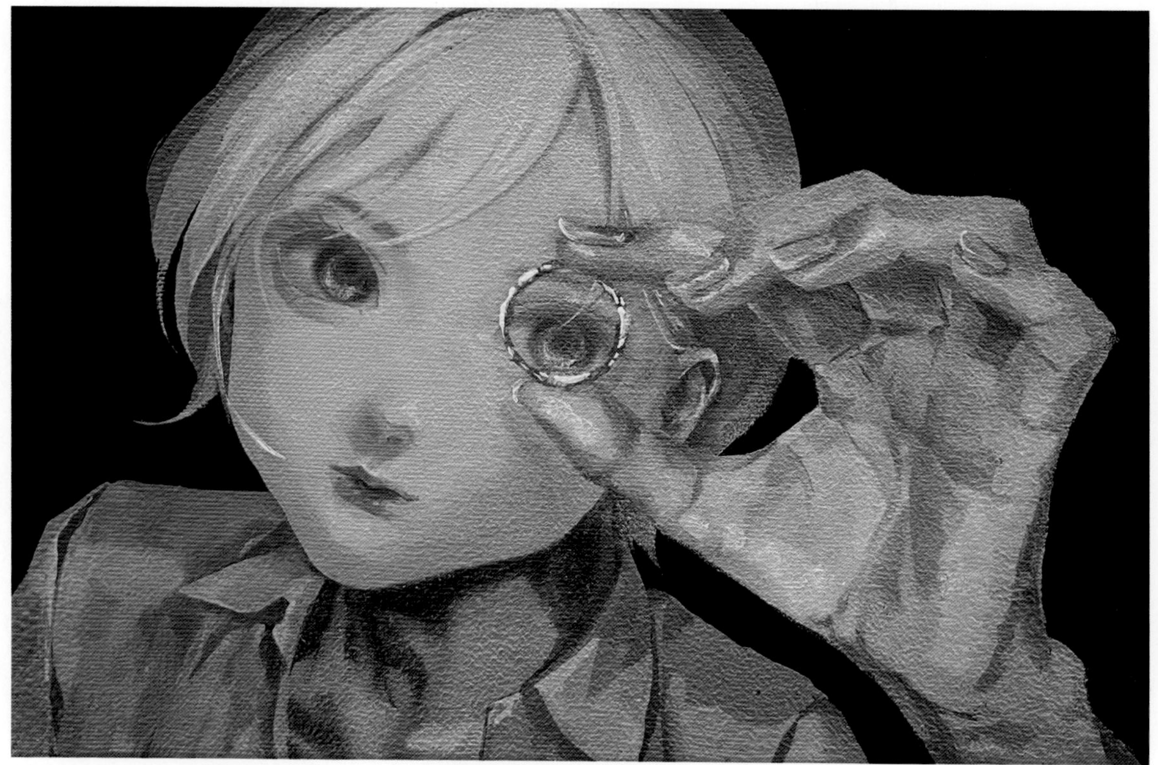

★《Kaleidoscope》2023年、227×158mm、アクリル絵具・油彩 / キャンバス

★《舞台上》2021年、242×333mm、アクリル絵具・油彩 / キャンバス

★《NEVERLAND 1》2021年、300×240mm、アクリル絵具・油彩 / サテン

★《NEVERLAND 2》2021年、300×240mm、アクリル絵具・油彩 / サテン

★《月光》2023年、727×910mm、アクリル絵具・油彩 / キャンバス

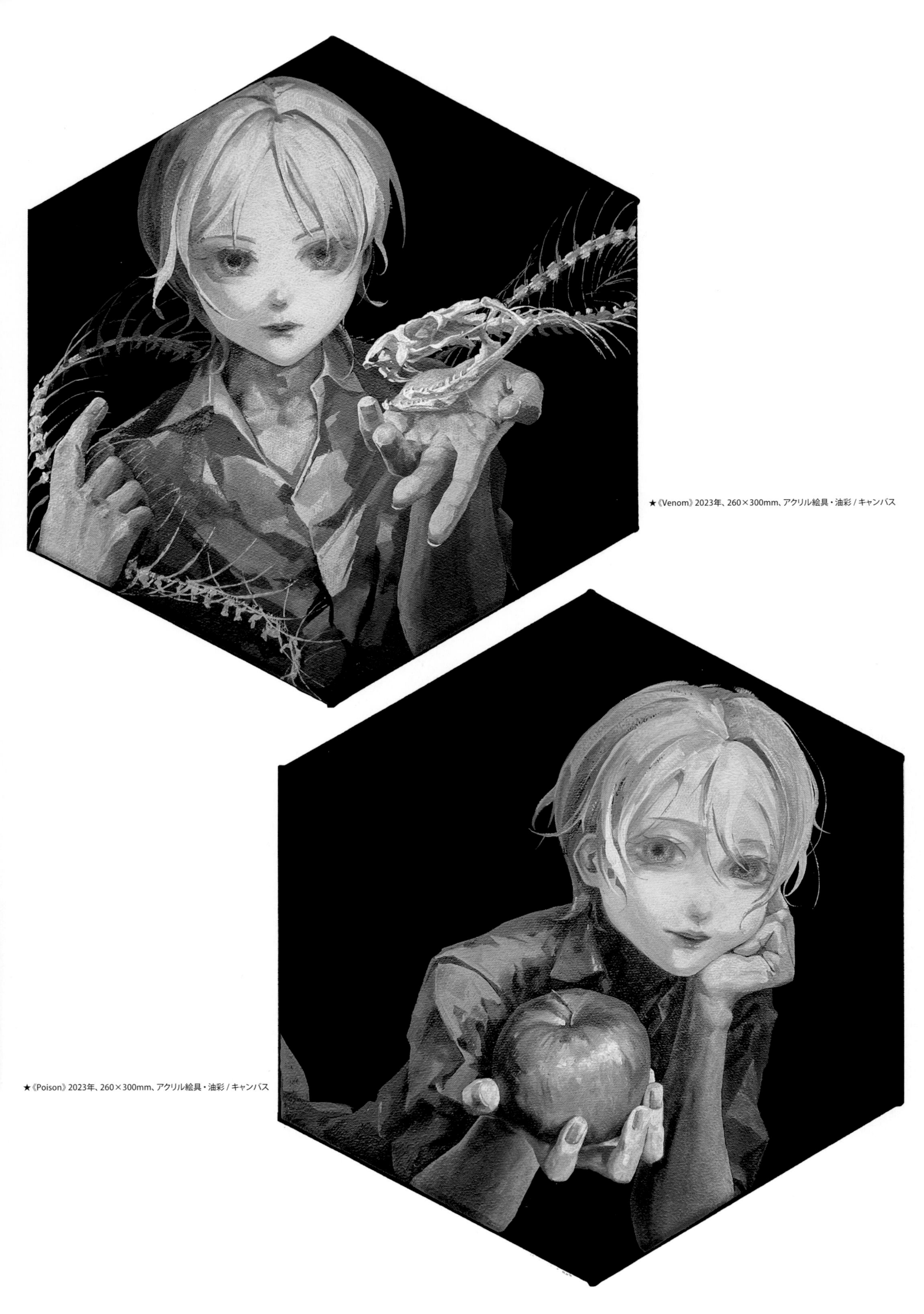

★《Venom》2023年、260×300mm、アクリル絵具・油彩 / キャンバス

★《Poison》2023年、260×300mm、アクリル絵具・油彩 / キャンバス

★《Crown》2023年、273×220mm、アクリル絵具・油彩／キャンバス

★《Twilight》2023年、220×273mm、アクリル絵具・油彩／キャンバス

★《Dawn》2023年、220×273mm、アクリル絵具・油彩／キャンバス

★《静寂》2021年、455×380mm、アクリル絵具・油彩 / キャンバス

★《Majesty》2023年、220×273mm、アクリル絵具・油彩 / キャンバス

漆黒に浮かぶ 光の陰影によって ドラマチックに 描き出された光景

真っ黒な背景に、白く浮かび上がる少年や少女。だがその白は、単純な白や灰色の濃淡ではない。巧みに混色されたその色合いには、さまざまな色彩が隠されているように見える。そしてその画面の一部分に、隠されていただろう色彩が浮かび出ている。それは瞳に。またはシャボン玉に。その色が、神秘的とも言える光を放っている。

初めての個展となった今回の展示作は、月明かりをイメージして描いたのだと神野歌音はいう。しかしその明かりに照らし出されているのは、人物や花などだけで、背景は漆黒の闇の中だ。孤独な寂寥感が色濃く漂い、青味がかったグレイの色調だからこそ、その孤

★《月虹》2023年、333×242mm、アクリル絵具・油彩 / キャンバス

★《Garden》2023年、227×158mm、アクリル絵具・油彩 / キャンバス

独感はひとしおだ。

そしてその人物や花などが、単体であるにもかかわらず印象深い存在感を放っているのは、面取りのような描画によって、光の陰影の効果を大胆に描き出しているからだろう。画面にはドラマチックな緊張感が漲っており、それが観る者を惹き付ける。

神野はまだ東京造形大学に在学中。２０２０年より各地のグループ展に参加し、注目を集めつつある。この世界が今後どのように進化していくのだろう。

（沙月樹京）

※神野歌音 個展「月光」は、2023年4月1日〜12日に、大阪・中崎町のSUNABAギャラリーにて開催された。

◉文＝志賀 信夫

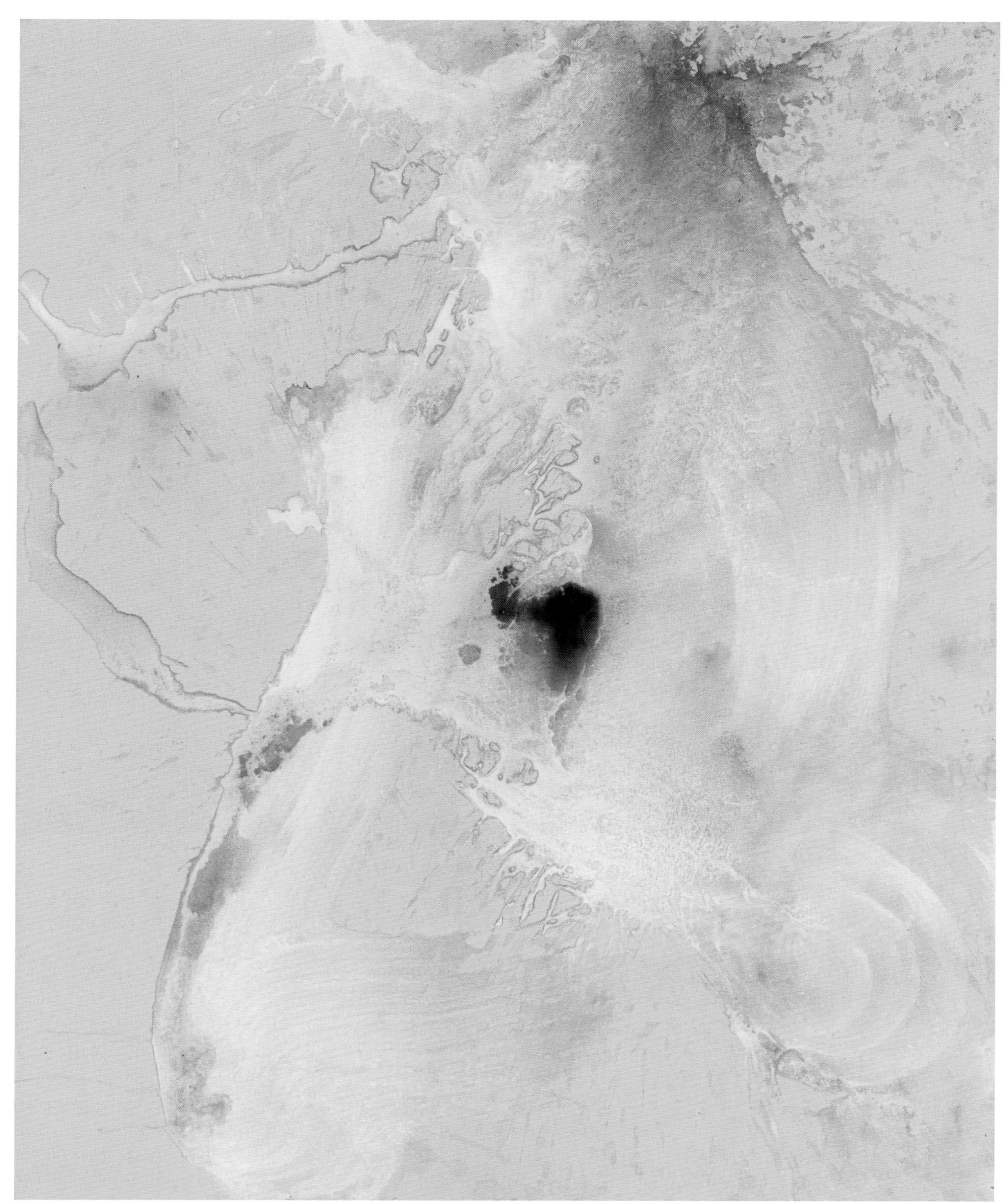

★《海》2014年・絶筆、130.1×162.0cm、ミクストメディア・カンヴァス

横尾龍彦

YOKOO TATSUHIKO

悪魔的幻視から瞑想的抽象へ

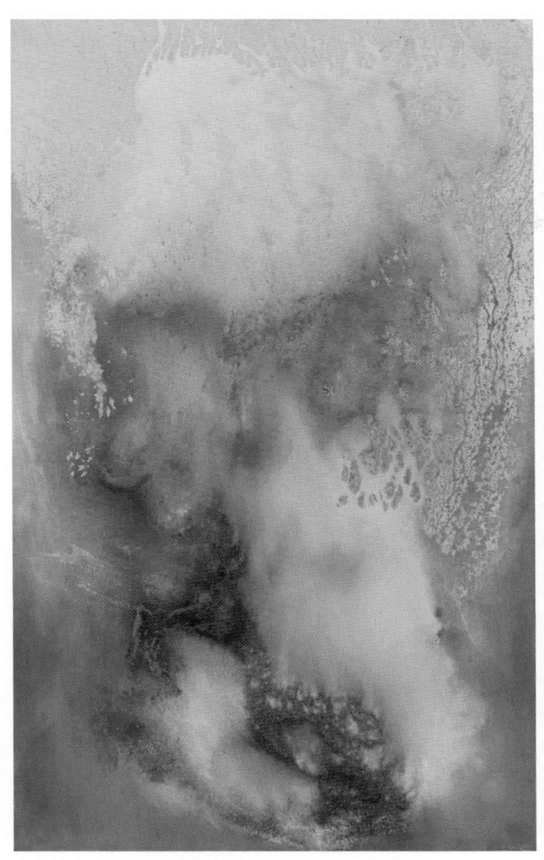

★《アポカリプス》2004年、130.5×80.0cm、ミクストメディア・カンヴァス

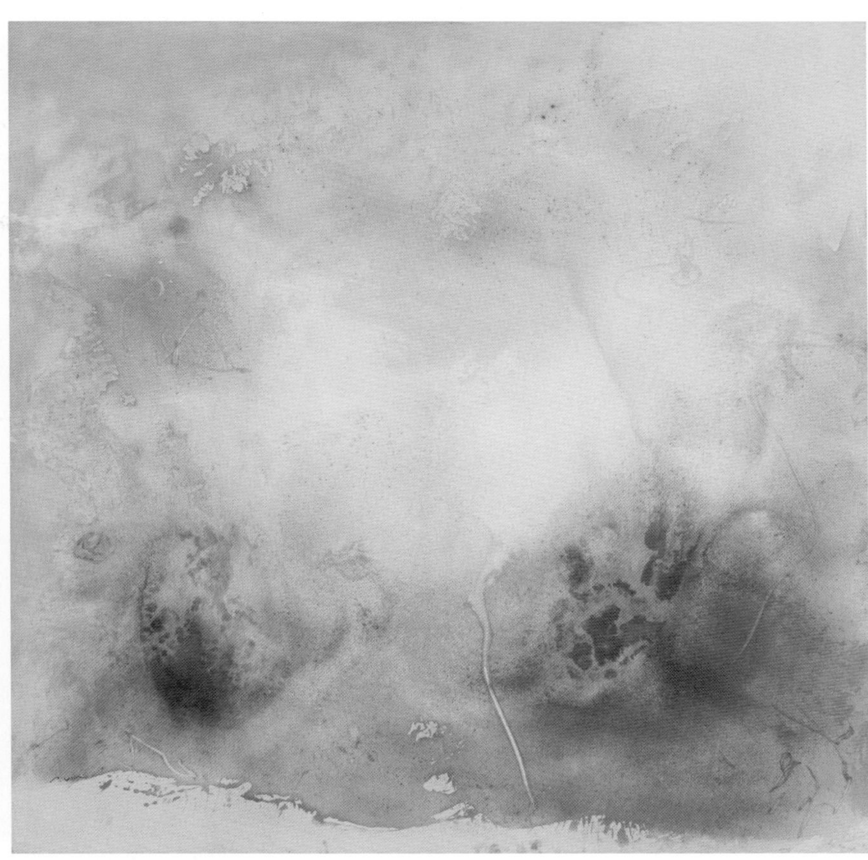

★《アポカリプス》2001年、200×200cm、ミクストメディア・カンヴァス

★《宇宙音響Ⅰ》2010年、169.7×119.8cm、ミクストメディア・カンヴァス

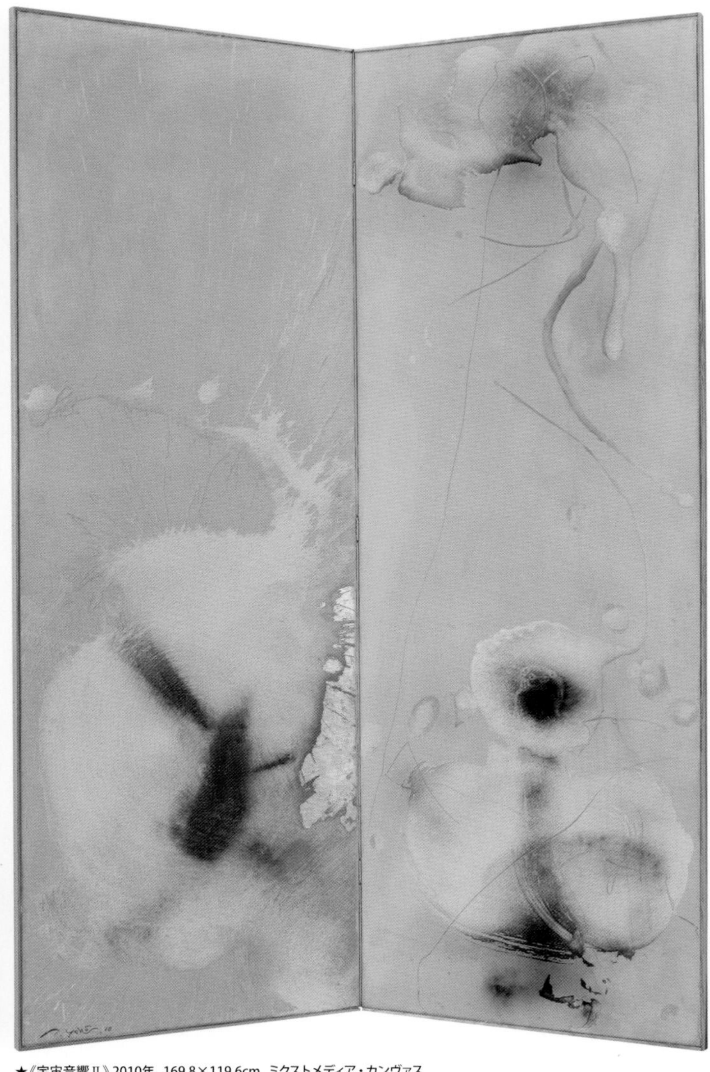

★《宇宙音響Ⅱ》2010年、169.8×119.6cm、ミクストメディア・カンヴァス

★《生命の水》1970年代後半、13.8×17.8cm、油彩・カンヴァスボード

★《錬金術師》1973年頃、58.5×74.5cm、ガッシュ・紙

★（右頁）《滴る天の雫》1980年、151.2×96.8cm、油彩・カンヴァス

聖性、霊性を渇望し、幻想画や瞑想画によって求め続けた超自己

生前最後の展示「みちすがら」

横尾龍彦の名に目をとめたのは、七〇年代終わり。新聞の展評や展覧会情報だった。当時、関心が高かった澁澤龍彦と横尾忠則が合わさった名前が記憶に残った。そして新聞のモノクロ画像や文章でその幻想性に関心を抱き、その後もたびたび、美術誌などで作品を見ていた。だが、実際に見るのはずっと後のことだ。そしてそのときには、作風は大幅に変わっていた。細密な幻想画という印象だったが、抽象画になっていたのだ。

横尾がドイツに移り住み、抽象表現に変化したらしいことは、新聞や雑誌で少し目にしていた。すると近年、美術研究・批評の宮田徹也氏が交流しているという。そして、彼が展覧会を企画し、作品の展示と舞踏公演、トークなどを行った。それが、二〇一五年一一月一日から五日間、東京の京王線、明大前駅前のキッド・アイラック・アート・ホールで開催された「みちすがら」展である。

キッド・アイラック・アート・ホールは、一九六四（昭和三九）年、作家、水上勉の長男の窪島誠一郎によって開館された。当初は明大前の明治大学和泉校舎と甲州街道を挟んで向かいにあり、一階にはギャラリーがあった。ここでは、二パフ（日本パフォーミングアーツ・フェスティバル）をはじめ、多くの公演、イベントなどが開催された。そして、二〇〇二年に、明大前駅のそばに移転した。二階分の天井が高い劇場と、その上に三、四階とつながったギャラリー、五階にももう一つギャラリーがあるブラックキューブの建物だった（二〇一六年閉館）。

開催された「みちすがら」展は、一階の劇場で横尾の作品を展示し、一日はそれとともに舞踊家などが踊るというもの。そのとき初めて本物を目にした横尾の作品は、二枚の屏風仕立てのような、和を感じさせるものだった。

一一月一四日には、相良ゆみの舞踏『白∞黒そして、三の考察―福音書と黙示録』と及川廣信の『遠心と拮抗』が行われた。相良ゆみは、バレエを学び、ニューヨークで活躍するエイコ&コマ、舞踏家大野一雄に師事し強い影響を受け、さらに及川廣信に師事した。及川はバレエを学びフランスに留学し、日本にマイムを導入した先駆者で、土方巽や大野慶人の師でもある。

横尾龍彦の作品展示は、壁などに十点ほどと、舞台中央に屏風様に並べた三点、その中央が《竪琴の調べ》（二〇一二）、左右が《宇宙音響》Ⅰ、Ⅱ（二〇一〇）である。当初は左右の二枚のみ前に出て見えており、相良は、その二枚の屏風の裏から踊りつつ登場する。

青いうち掛けでしばらく踊り、それを脱ぐと赤い着物、さらに脱ぐと白い洋装という変身で、伸びやかな動きはエレガントさを漂わせながら、能面的な表情を消した顔が苦しそうになり、明

★《聖母子像》1987年、81.0×22.5×24.0cm、木

★《Vision II》1981年、左123×50cm・中123×97cm・右123×50cm、油彩・板

るい表情に変化していく。細身の身体が這い、動くさまは神の使いの白い蛇に似る。

横尾は、「表現衝動は、自己の内に漲っている宇宙リズムに耳を傾けることになる。独り内観し、理論的推論を停止して、深い宇宙意識である自己内奥の本質的自然と対面する」と自らのサイトに書いたが、相良の踊りは、まさに自己の内奥を直視することで、神秘性を得ているのかもしれない。閉じていた二つの屏風を開け中央の絵画を見せて踊るが、それは、外部としての《宇宙音響》の二枚を開いて内部の《竪琴の調べ》を見せ、奏で踊る魅力があった。

続いて、九〇歳の及川廣信が踊った。及川がパリで学んだコーポレル・マイムやバレエを背景とする「白い」舞踊だが、大野一雄に共通する部分もあり、舞踏の元ともいえる静かな踊りで、美術家、大串孝二によるモノによるパフォーマンスが加わり、全体でアートパフォーマンス的な要素も感じられた。及川は一九八〇年代に福島で檜枝岐パフォーマンスフェスティバルを開催し、パフォーマンスを日本に根付かせた功績もある。

そして、美学者・谷川渥、及川、相良、宮田によるトークが行われた。これらについては、「みちすがら」についての詳しい冊子がある。

この展覧会の際に、半世紀を経て初めて横尾龍彦に会えると思っていたが、病のため来られなかった。そして、それから一週間ほどで横尾氏の訃報を聞いた。二〇一五年一一月二三日、八七歳の生涯を閉じたのだ。

神道からキリスト教へ

それから八年、二〇二二年から二三年にかけて北九州市立美術館と神奈川県立近代美術館葉山で、大規模な「横尾龍彦　瞑想の彼方」展が開催され、埼玉県立近代美術館にも巡回する。これは、六〇年代から二〇一〇代に至る横尾の全体像がわかる展覧会で、筆者もようやくここで、横尾の初期作品から絶筆までを目にすることができた。

横尾龍彦は、龍の文字でわかるように辰年生まれ、澁澤龍彦、土方巽、池田龍雄と同じ一九二八（昭和三）年生まれである。福岡に生まれて北九州に暮らす。父は日本画家で、母は龍彦が幼児期に霊能者となり、毎日神前に祈る母をサポートする幼年期を過ごす。戦時中は軍事教練を拒否していたという。母の「美術へ」という言葉で第二次大戦後、東京美術学校（東京藝術大学）日本画専攻に入学。一年上の加山又造と交流する。

母の影響で神道に親しんだが、国家神道と敗戦、西洋美術への傾倒から、キリスト教に関心を抱き、卒業後、奈良の神学校、生駒聖書学院で学ぶ。だが二年で中退し、美術とともに福岡県に戻り、油絵を始める。

一九五五年からは、北九州の明治学園の中学・高校で美術を教え、教職は一五年に及ぶ。同時に、油絵を二科会、さらに版画の技法により日本版画協会などで作品を発表する。だが、一九五〇年代の横尾の作品はほとんど見つかっていない。六〇年代初めの作品は、人の顔の群像ともいえるもの。それと「灰色の壁」、「失われた人」といったタイトルなどから、五〇年代は池田龍雄の『網元』（一九五三）に代表される社会派絵画に関心があったのではないかと推測する。

また、横尾は六〇年代から北九州の教会などで聖像をいくつも彫刻している。そのため、トラピスト（シトー）会に

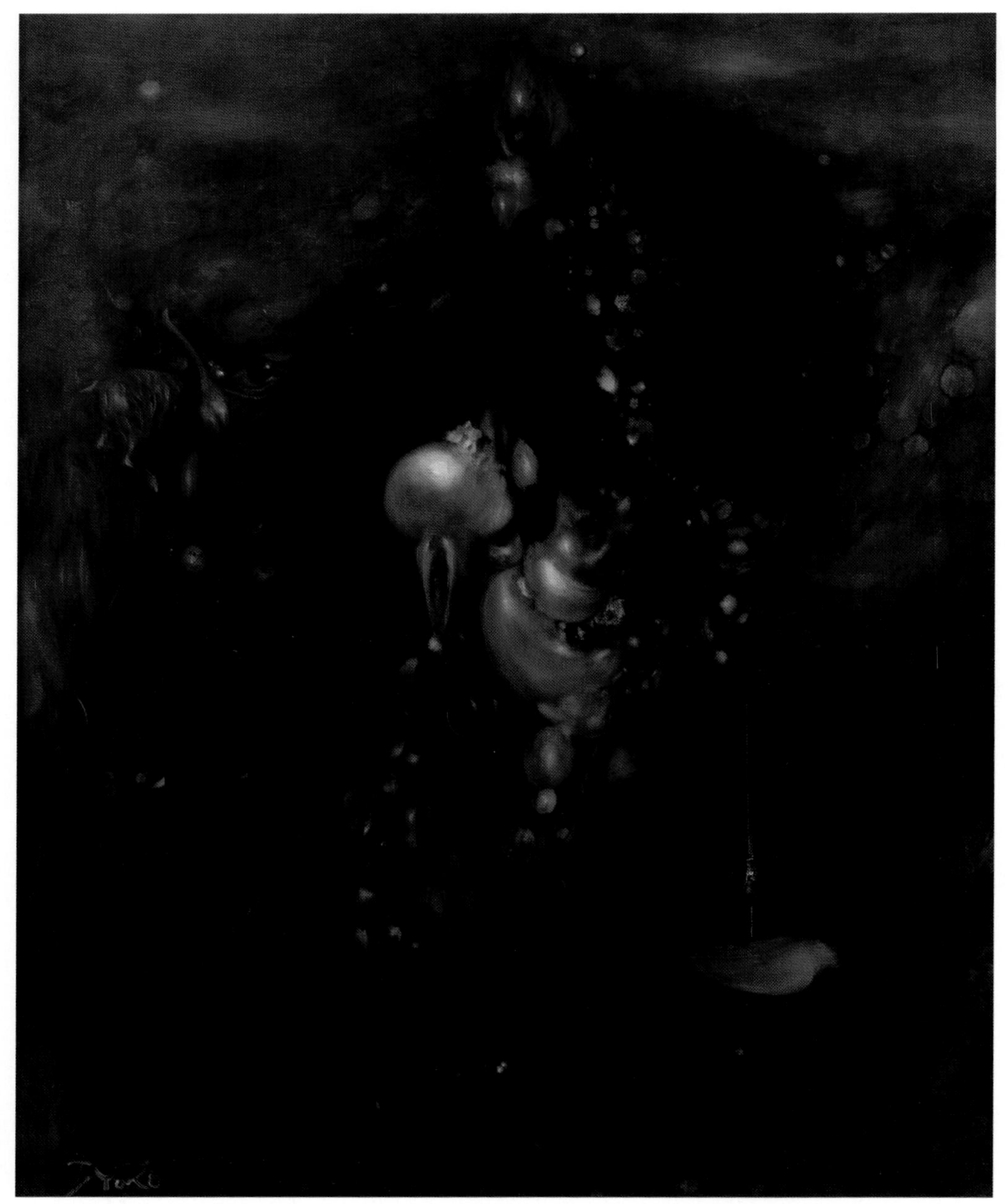

★《隠された真珠》1966年、90.5×72.8cm、油彩・カンヴァス

よって、一九六五年には一年間、パリ留学を果たす。横尾は断続的に晩年近くまで教会などの聖像彫刻を制作し、国内一八カ所で確認できる。今回の展覧会では、東京サレジオ学園の聖堂の《聖母子像》（一九八七）が展示されていた。

悪魔的幻想・幻視の時代

横尾は帰国すると、加山又造の紹介で、東京・銀座の青木画廊で個展を開く。そして、その作品は次第にキリスト教、神秘主義、さらに悪魔などがモチーフになっていく。また、人の顔は次第に姿を隠し、球体が登場する。

実は、横尾は一〇歳のときに、姉とともにガラス窓に白い球体を幻視している。その影響から球体に対するこだわりが顕著に表れたのが《隠された真珠》（一九六六）である。溶けたような描き方は、幻想的といわれる横尾作品の特徴が強く表れている。その球体は《沼の話》（一九六七）、《黝い玉座》（一九七二）、《愚者の旅》（一九七五）、《青い響き》（一九八〇）などにもたびたび見て取れる。

シュルレアリスムの幻想性にも強く影響を受け、画面を貼り剥がすデカルコマニーに加筆するという技法により、偶然性を生かした絵画を生み出すことになる。また、日本画のたらし込みによるガッシュ（不透明水彩）の作品などが、画集『幻の宮』（一九七三）に結実した。これには、澁澤龍彥、種村季弘、加山又造が文を寄せている。この本でひときわ注目が集まり、悪魔的世界を描く幻想画家という評価が定着した。

澁澤はそこで、「地獄とは、画家の内部にひらけた深淵の別名であった」と述べる。種村は、「カトリシズムの教養と内的体験につちかわれた作者が、その反極たるデモノロジアックな諸観念をみずからの仮面の信仰告白に擬して、あえてタブロー造形の出発点としている」とする。

この画集では、横尾自身も自分の作品に多くの文章を示しているが、そこには、「オルガスムの喜悦に驚喜する地獄」「性は見果てぬ夢の神秘への門」「無垢の少女の血を流す人身御供の呪術」といった煽情的な言葉が踊り、「人みな脳中に怪物をもつ」とW・ブレイクが引かれる。だが、横尾は「聖性への渇望」と「エロスへのあくなき願望」は「一つの枝に実った木の実」だとして、「自らを滅却して宇宙に満ちた不可思議なる力に解放する」、「自己を一個のパイプとして認識する」という。

大学時代からの友である加山又造も、「私は、彼の中にある神の形を又見る事であろう」「横尾君の絵の中に（中略）数万年来の悪夢のそれでなく、もっと個の霊的な人間像を見つけてほしい」と述べる。これらは、後の横尾の作品につながるものを予見している。「悪魔的幻想・幻視」といわれ、カオスの中にあると思われたこの時期の横尾龍彦にも、「聖性」や「霊性」などがすでに存在しているのだ。

一九七二年に横尾は上京するが、七一年と七五年にはウィーンにそれぞれ一年滞在、七六年には、逗子に移り住む。そのころから青い作品が目立ち始め、「青の時代」とよばれる。これらの青の作品は、海と空が入り混じったような深い青色の中に、混沌とした形象が沈み、きわめて美しい。ボッシュやブリューゲルを思わせる西洋画の技法で描かれた、三連の聖画のような《Vision II》（一九八一）は、その代表ともいえるだろう。

横尾はさらに、種村季弘に紹介され

★《黝い玉座》1972年、57.5×45.5cm、ガッシュ・紙

★《沼の話》1967年、41×32cm、油彩・カンヴァス

★《青い響き》1980年、68.0×63.7cm、ガッシュ・紙

★《愚者の旅》1975年、116.5×91.0cm、油彩・カンヴァス

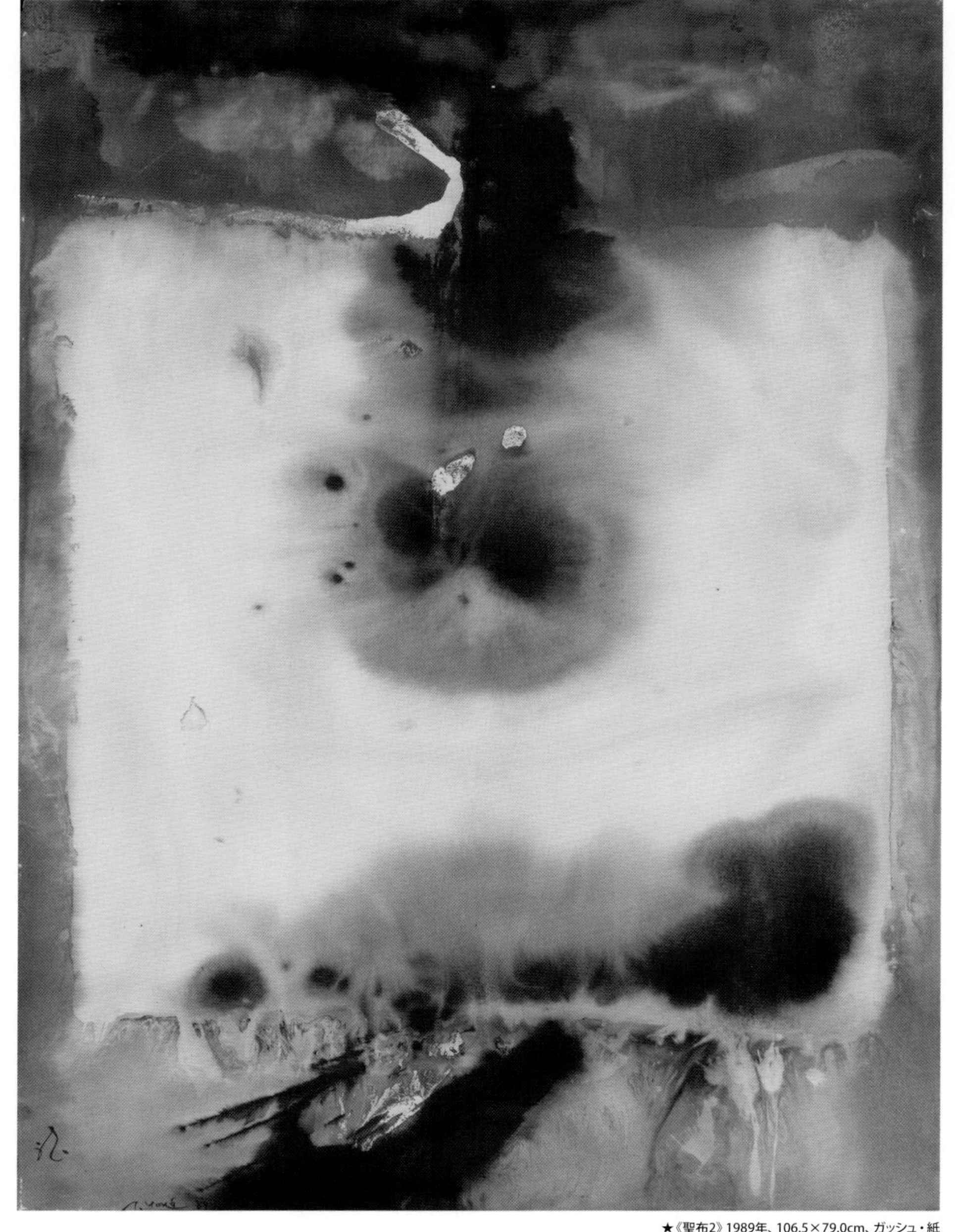

★《聖布2》1989年、106.5×79.0cm、ガッシュ・紙

た高橋巌に、ルドルフ・シュタイナーの思想を学び、彼の文章からは、シュタイナーの強い影響が見てとれる。同時に仏教の禅と瞑想にも関心を抱き、鎌倉三雲禅堂の山田耕雲（一九〇七〜八九）に師事する。一九七七年には、種村季弘はドイツ美術協会から招かれヴォルプスヴェーデに滞在するが、横尾も誘われ一緒に欧州各地を回る。

舞踏家の笠井叡もシュタイナーに傾倒して、一九七九年にドイツに渡って学び、八五年の帰国後は、シュタイナーのオイリュトミーの普及につとめる。横尾が一九八〇年にドイツに渡ったのは、種村との旅で出会った現地コレクターの誘いに加えて、笠井の渡航の影響もあるらしい。

抽象作品にもうかがえる聖性

ドイツ移住後もしばらくは青の時代が続くが、一九八五年のドイツのキュルテンに移住したころから、禅と瞑想の影響もあって、次第に抽象に向かっていく。画集『横尾龍彦 1980-1998』（一九九八）では、青の時代の作品が次第に具体的な形を失い、《青い光》（一九八七）、《風》（一九八六）などで抽象に向かい、さらに黒い《聖布》（一九八八）を経て、《臥龍》（一九八八）などから黄土色の抽象が生まれてくるのが、よくわかる。このたびの展覧会でも、黒いレントゲンのような《聖布2》（一九八九）は、異彩を放つ。

キリスト教的な作品から東洋的な《円相図》（一九九二）に至るところは、一種の東洋回帰だが、横尾自身のルーツに日本画があり、キリスト教と禅と瞑想を重ねて実践してきたことから、弁証法的止揚といってもいい。そして彼の抽象作品のなかでも、強く惹きつけられるのが《一路涅槃門》（一九九五）である。この半円を描くようなフォルムは、抽象性の中に絵具そのもののリアルが、形象を超えて迫ってくる。横尾のこれらの抽象作品にも聖性を見ることができるだろう。

横尾は幻想的な絵画から、「青の時代」を経て、具体的な顔や人、フォルムが消滅し抽象に導かれる。キリスト教やエックハルトの神秘主義に惹かれ、ウィーン幻想派的な世界に進んでいたが、ドイツに暮らすようになり、瞑想とともに、絵画の技法もより偶然性を強めていく。

七〇年代はデカルコマニーに加筆して形象をつくるものだったが、絵具を流すアクション・ペインティング的な技法、さらに、最初に水を流してそこに砂や顔料、絵具を流して、キャンバスを揺らして形をつくっていくといった、より偶然的な技法になっていく。だがそれは、当初関心のあったシュルレアリスムによるオートマティスム（自動筆記）とも無縁ではない。

超自己を描く瞑想絵画

そして、瞑想の実践とともに、自ら瞑想絵画、メディテーション芸術ともいう。彼は作品をつくる前に一〇〜三〇分、座禅を組んで瞑想するのだ。

瞑想について、横尾は一九九八年の画集にこう書いている。

1・瞑想によって錯綜する表層意識界を超えて、深層意識界に心を集中する。

a・呼吸に合わせて一から一〇まで数え、何回も繰り返し心が静かになるまで続ける。

b・深く静かに呼吸し、特に吐く息に意識を集中する。

c・精神性の高い音楽に没入して自己を忘れる。

d・肉体と心の赴くままに舞踏する。

これについて横尾は、「どの方法でもよい、ただ形のないものに意識を集中することによって自分の中の芸術家つまり超自己と出会うのである」と述べる。瞑想によって、自分の中の超自己が描きだすもの、つまり自然かつ自動的に生まれるものを求めたといえる。

また、舞踏については、七〇年代に笠井叡と出会っており、大野一雄は『幻の宮』を愛読しており、二人は親しかったそうだ。その後、横尾自身も国内外でパフォーマンスによる公開制作を行っており、その際には舞踏をすることもあったという。

横尾は、一九八〇年から欧州で長く活動し、二〇〇〇年代には、日本と欧州

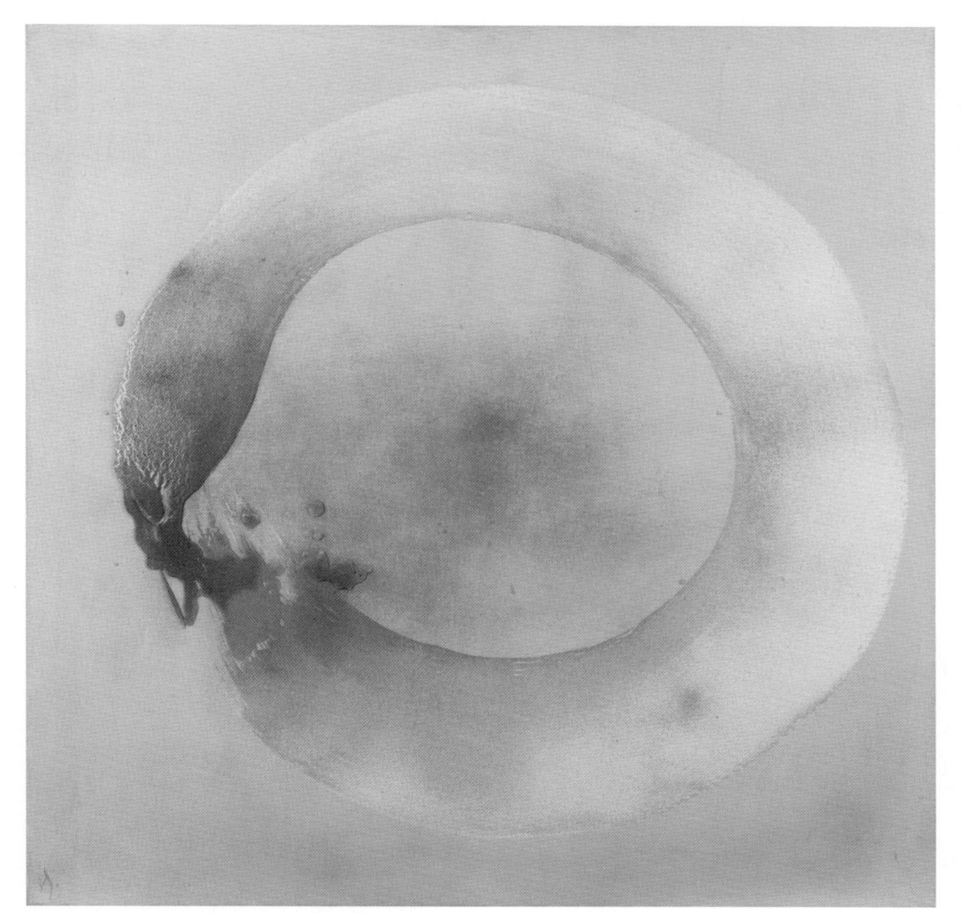

★《円相》1992年、100×100cm、ミクストメディア・カンヴァス

◉「横尾龍彦 瞑想の彼方」展
2023年7月15日（土）～9月24日（日）
月曜日（ただし、7月17日、8月14日、9月18日は開館）
10：00～17：30
観覧料／一般1000円（800円）、大高生800円（640円）
※（ ）内は20名以上の団体料金
※中学生以下は無料
※障害者手帳等を提示の方（付添い1名含む）は無料
※MOMASコレクション（1階展示室）も観覧できます。
場所／埼玉・北浦和 埼玉県立近代美術館
Tel.048-824-0111
https://pref.spec.ed.jp/momas/

を行き来していた。秩父にアトリエをつくり、鎌田東二とともに、東京自由大学の活動を行う。そこで美術を教え、語り、パフォーマンスやドイツとの交流なども積極的に行った。だが、癌との闘病のために、二〇一四年に帰国した。彼の後期の作品は、欧州の活動が中心のため、二〇〇〇年代以降、日本で取り上げられることはあまり多くなかったようだが、前述した晩年の「みちすがら」展、さらに今回の「瞑想の彼方」展で、再び注目が集まった。

★《一路涅槃門》1995年、149.7×150.6cm、ミクストメディア・カンヴァス

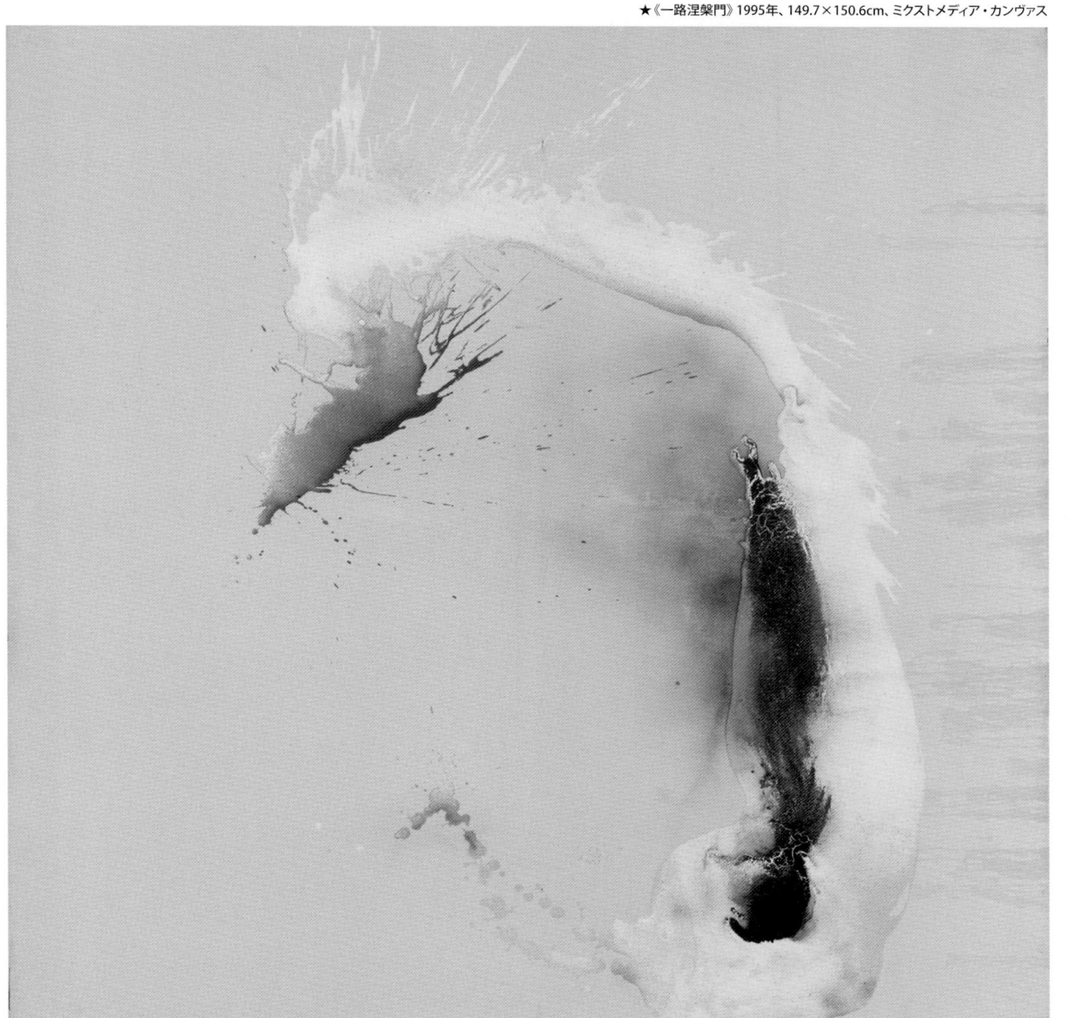

その作品は、デモーニッシュな幻視・幻想と評価された西洋的な絵画から、禅や瞑想を含めた日本画的世界に至る。七〇年代の『幻の宮』ですでに、「自らを滅却して宇宙に満ちた不可思議なる力に解放する」と書いていたことを喚起しよう。彼が求め続けた超自己が自然に、偶然性によって、いわば自動筆記的に描き出すことになっていく。それは、初期の幻視・幻想やシュルレアリスムと決して無縁ではない。そして、当初から求めていたもの、おそらくは母とともに暮らしていたときから感じていた、聖性や霊性を作品に求めたのだ。彼の作品を見る者にも、それは感じられるのではないだろうか。

横尾の言葉はここに引いただけではない。遺された多くの言葉には、自己を内観し、芸術とは何かを求め続けた軌跡とともに、求道者ともいうべき、その存在の重みが感じられる。あらためて、その美しい稀有な作品とともに、横尾の言葉と思想を噛みしめたい、という思いにかられている。

（志賀信夫）

山上　真智子

YAMAGAMI MACHIKO

●文＝沙月樹京

★《天球の天使》2006年、840×320×300mm、、油彩仕上げ・石塑粘土・その他／撮影：岩切等

★《空を抱く》2022年、450×450×450mm、油彩仕上げ・石塑粘土・その他／撮影：岩切等

★《雨音、蕾》2019年、350×350×350mm、油彩仕上げ・石塑粘土・その他／撮影：岩切等

★《マグダラのマリア》2023年、650×200×150mm、油彩仕上げ・石塑粘土・その他／撮影：gallery hydrangea

★《昼と夜の天使》2023年、460×430×350mm、油彩仕上げ・石塑粘土・その他／撮影：gallery hydrangea

★《空の碧、海の藍》2018年、350×350×350mm、油彩仕上げ・石塑粘土・その他／撮影：岩切等

★《白の天使》2020年、370×260×170mm、油彩仕上げ・石塑粘土・その他／撮影：岩切等

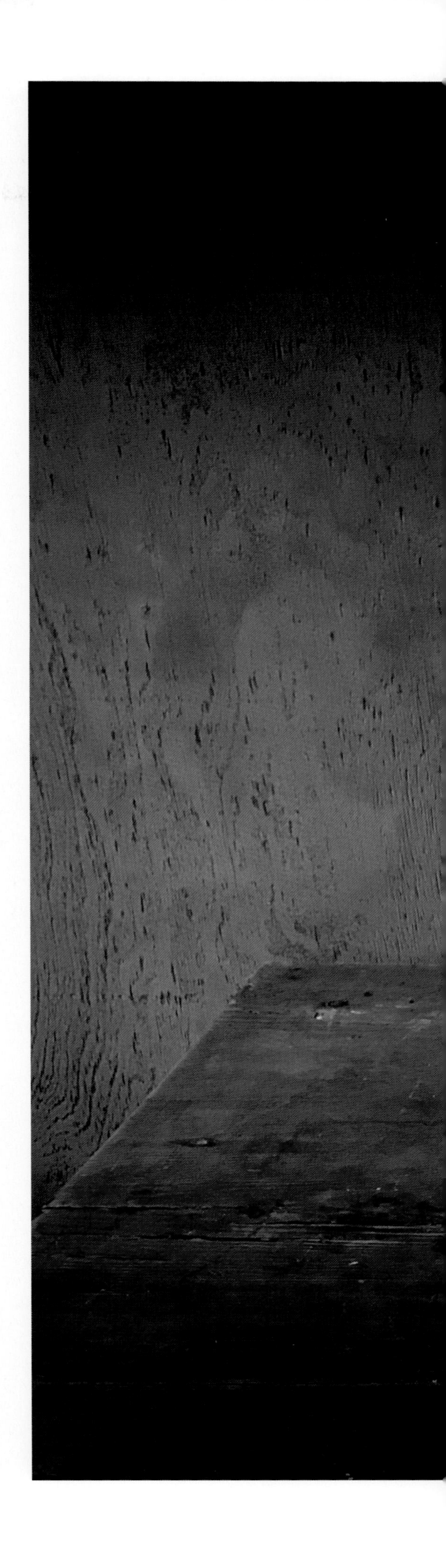

★《LEDA》2019年、270×400×170mm、油彩仕上げ・石塑粘土・その他／撮影：岩切等

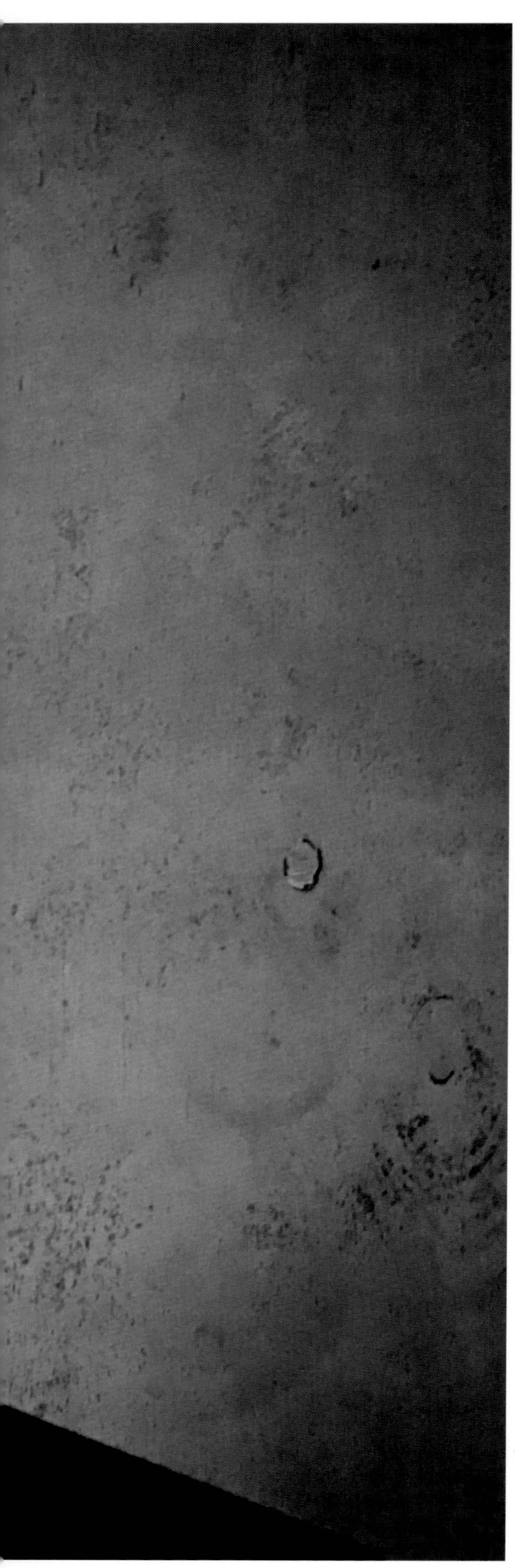

★《鈍色の刻》2023年、265×175×175mm、油彩仕上げ・石塑粘土・その他／撮影：gallery hydrangea

★《みちびかれて〜アルト〜》2021年、370×260×80mm、油彩仕上げ・石塑粘土・その他／撮影：岩切等

★《みちびかれて～ソプラノ～》2021年、370×260×80mm、油彩仕上げ・石塑粘土・その他／撮影：岩切等

死や闇を背負いながら やさしく響かせる 天使の歌声

人形というと、静かに押し黙っているイメージがあるかもしれない。澄ました表情でじっと物思いに耽っているかのような、そんな印象。それに比較すると、山上真智子の人形はとても多弁だ。話しかけてくるかのように口を開いて歯や舌をのぞかせ、ときには歌うかのように大きく口を開けている。

レリーフ状の作品《みちびかれて〜ソプラノ〜》と《みちびかれて〜アルト〜》は、まさに歌を歌う様子を表現したものだ。素朴な感じの少女が大きく声を響かせ、その周囲を、楽器を演奏しながら天使たちが舞う。Twitterに山上は、彼女らは「闇の世界に住む盲目の少女」なのだと記している。彼女らに「神はうつくしい声を授けた。彼女は歌う。信じるままに。天使がそれに合わせて奏でる。誰もが耳をかたむける、天国の旋律」——。

明るい華やかさと闇は、常に同居している。山上の作品からは、そんなメッセージが受け取れる。うつくしい歌声と盲目の闇。少女が天使舞う青空を内包する卵を抱える《空を抱く》では、少女の背後は黒装束の骸骨。《鈍色の刻》も、剣に刺され薔薇に飾られた少女の背面は骸骨になっている。《空の碧、海の藍》においては、両面の顔がそれぞれ天地逆方向を向いていて、2つの価値観を対照させていると言えるだろう。これ以外でも、《昼と夜の天使》《白の天使》のように、夢や希望を授ける天使と、骸骨や墓など死の表象が対比させられることもしばしばである。

山上真智子が天野可淡に師事して人形制作を始めたのは1989年。1994年から2002年まで人形教室の講師を務めるなど、キャリアは長い。球体関節人形も制作するがオブジェ的な作品が多いのは、物語やメッセージを作品に込めたいからなのだろう。

その多くには天使が登場し、それは、われわれを祝福し希望を与える存在だろうが、だが山上はそこに死の影をまとわせる。《空を抱く》の少女は、死の影から守ろうとして天使を卵に封じ込めたのだろうか。そして歌は、死や絶望から逃れたいという切実な叫びなのではないか。それらの人形から聞こえるだろう哀しくもやさしい歌声が、観る者の心をも震わせる。（沙月樹京）

★展示風景／撮影：gallery hydrangea

※山上真智子 個展「空を抱く〜ソラヲイダク〜」は、2023年3月23日〜27日に、東京・曳舟のgallery hydrangeaにて開催された。

◎TH Art series

◎画集

「秘匿の残酷絵巻［増補新装版］～臼井静洋・四馬孝・観世一則」
978-4-88375-496-0／A5判変型・160頁・カバー装・税別2200円
●ひとりのために描かれた臼井静洋、四馬孝の残酷絵。卓越した観世一則の責め絵。貴重で特異な作品たち！ カラー・モノクロともに増量した新装版。

九鬼匡規画集「あやしの繪姿［新装版］」
978-4-88375-493-9／A5判・64頁・カバー装・税別2000円
●こころ狂わす 美しき妖怪、怪異。妖怪や怪異を現代風な女性像になぞらえ、蠱惑的な美人画として描き出した、あやしき妖怪美人画集！

駕籠真太郎画集「死詩累々［新装版］」
978-4-88375-490-8／A4判・128頁・カバー装・税別3300円
●不謹慎かつ狂気的な漫画で人気を集める奇想漫画家・駕籠真太郎の、漫画以外の多彩なアートワークを凝縮した「超奇想画集」！

真珠子作品集「真珠子メモリアル～〝娘〟を育んだ20年」
978-4-88375-483-0／B5判・128頁・カバー装・税別3200円
●天衣無縫なガーリーアート！ 渋谷PARCOなどでの個展等、多彩な活動を続けている真珠子の20年の軌跡を凝縮した記念作品集！

椎木かなえ 画集「虚の構築」
978-4-88375-475-5／A5判・64頁・ハードカバー・税別2700円
●無意識を彷徨い、構築する――形容し難い不可思議さ。シュールだけどユーモラス。椎木かなえが闇の中から構築した〝虚〟の世界！

椎木かなえ 画集「同じ夢～Same Dream～」
978-4-88375-252-2／A5判・64頁・ハードカバー・税別2750円
●闇に住まう人の、いびつな愛と、不穏な夢。奇妙で秘儀的な心象風景が、観る者を夢幻の世界へ導く、椎木かなえの初画集!!

イヂチアキコ 画集「Dignity」
978-4-88375-462-5／A4判・48頁・並製・税別1500円
●日本画の手法により、現代に生きる少女の心性を寓意によって描き出してきたイヂチアキコ。画集『イルシオン』以降の作品を集約！

「楽園の美女たち Paradise Garden～現代美人画集」
978-4-88375-463-2／A4判・80頁・カバー装・税別2200円
●美しさ、艶やかさ、妖しさ…それぞれのスタイルで探究された現代美人画の数々。久下じゅんこ、樋口ひろ子、九鬼匡規など8作家収録！

たま 画集「Deep Memories～少女主義的水彩画集VII」
978-4-88375-451-9／B5判・64頁・ハードカバー・税別2700円
●深く落ちた記憶の欠片、透明な絵の具で彩って、5つに束ねて留めました。記憶の底にある、可愛らしくも不気味な楽園にようこそ！

高田美苗 作品集「箱庭のアリス」
978-4-88375-393-2／B5判・64頁・ハードカバー・税別2700円
●混合技法によるタブローから銅版画まで、少女をモチーフとした夢幻世界を描き続ける高田美苗の軌跡を集約した、待望の作品集！

森環 画集「愛よりも奇妙～Stranger than love」
978-4-88375-264-5／B5判・64頁・ハードカバー・税別2750円
●なんて奇妙な、ワンダーランド！「ボローニャ国際絵本原画展」入選など、不思議な世界観で人気の画家の幻想的な鉛筆画集！

安蘭 画集「BAROQUE PEARL～バロック・パール」
978-4-88375-213-3／A5判・72頁・ハードカバー・税別2750円
●哀しみや痛みなどを包み込み、いびつだからこそ心を灯す、安蘭の"美"。耽美画家・安蘭の約10年の軌跡を集約した待望の画集！

深瀬優子 画集「Kingdom of Daydream～午睡の王国」
978-4-88375-167-9／A5判・64頁・ハードカバー・税別2750円
●油彩とテンペラの混合技法などによりメルヘンチックで愛らしく、でも少しシュールな作品を描き続けている深瀬優子の初画集！

市場大介 画集「badaism」
978-4-88375-156-3／A5判・136頁・ハードカバー・税別2800円
●badaのカオス炸裂!! 過去作品から現在未来まで網羅した衝撃のアナーキー画集!!「わっ何だ、これは!!」―蛭子能収

◎人形・オブジェ作品集

田中流 球体関節人形写真集「DollsⅡ～瞳に映る永遠の記憶」
978-4-88375-480-9／A5判・96頁・カバー装・税別2500円
●「Dolls～瞳の奥の静かな微笑み」に続く人形写真集。可愛いものから個性的なものまで、23人の作家の多彩な人形作品を掲載！

田中流 球体関節人形写真集「Dolls～瞳の奥の静かな微笑み」
978-4-88375-373-4／A5判・96頁・カバー装・税別2300円
●若手からベテランまで、多彩なタイプの球体関節人形を撮影し、その魅力とともに、現代の創作人形の潮流をも写した写真集!!

清水真理 人形作品集「VITA NOVA～革命の天使」
978-4-88375-464-9／B5判・64頁・ハードカバー・税別2700円
●ハルピンの束の間の栄華と、刹那的な享楽。球体関節人形と人形オブジェで、歴史の陰翳の中に生きた者たちを描き出した幻影の劇場！

清水真理 人形作品集「Wonderland」
978-4-88375-364-2／B5判・64頁・ハードカバー・税別2750円
●肉体と霊魂、光と闇、聖と俗…それらの狭間で息づく、人形たちのワンダーランド。多彩な活躍を続ける清水の近年の作品の魅力を凝縮！

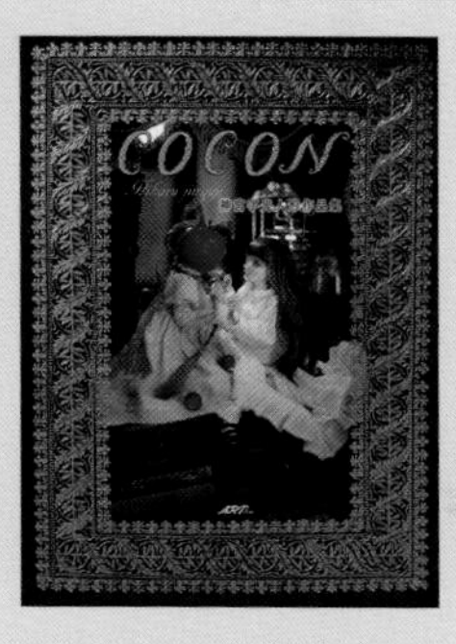

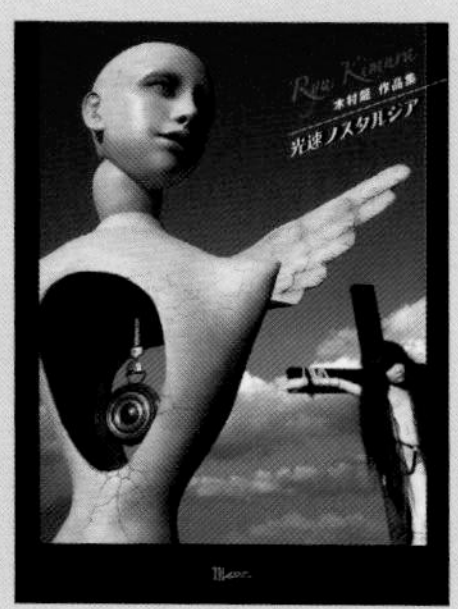

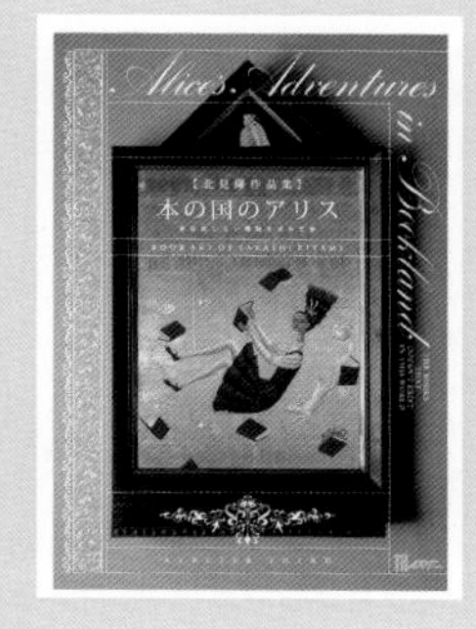

神宮字光 人形作品集「Cocon」
978-4-88375-378-9／A5判・64頁・ハードカバー・税別2700円
●ビスクなどで作られた愛おしい人形達がさまざまなシチュエーションの中で遊ぶ、かわいくも、ときにシュールでミラクルな世界！

ホシノリコ 作品集「蒼燈のばら」
978-4-88375-326-0／B5判・64頁・ハードカバー・税別2750円
●艶かしく息づく球体関節人形、幻想的な物語奏でるオブジェ。ホシノの10年の歩みをまとめた待望の作品集！ 写真＝吉田良、田中流

与偶 人形作品集「フルケロイド FULLKELOID DOLLS」
978-4-88375-265-2／A5判・68頁・ハードカバー・税別2750円
●園子温推薦！ 多くの人の心に突き刺さっている、凄みのある作品たち。20年の作家生活をここに総括。横4倍になる綴じ込み2枚付！

森馨 人形作品集「Ghost marriage～冥婚～」
978-4-88375-236-2／B5判・64頁・ハードカバー・税別2750円
●妖しい美しさと、哀しいエロスを湛えた、森馨の球体関節人形。その蠱惑的な肢体を写真家・吉成行夫が撮影した、闇の色香ただよう写真集！

木村龍 作品集「光速ノスタルジア」
978-4-88375-245-4／B5判・96頁・ハードカバー・税別3500円
●ボックスアートから彫像的作品、球体関節人形、絵画などまで、妖美で奇矯、かつ純真な世界を濃密に凝縮した、待望の初作品集！！

◎話題書

「サロメ幻想～ワイルド、ビアズリーから現代作家まで」
978-4-88375-476-2／A5判・112頁・並製・税別1800円
●「サロメ」の魅力を、ビアズリーの挿画、ワイルドとビアズリーの運命、サロメを描いた絵画の変遷、現代作家の作品などを通して俯瞰！

芳賀一洋 作品集「錠前屋のルネはレジスタンスの仲間」
978-4-88375-331-4／A5判・224頁・並製・税別2222円
●リアルにつくり上げられた驚きのミニチュア・ワールド！ はが いちようの 抒情あふれる世界をおさめた、ノスタルジックな作品集。

「甲秀樹 人体デッサン 男性ポーズ集 ディープシーン」
978-4-88375-455-7／B5判・160頁・ハードカバー・税別2700円
●ソロ、回転アングル、フェティッシュ、絡みなど裸体ポーズ写真を約500点収録。こんなディープシーンを描きたかった！ 絵描きのバイブル！

◎暗黒メルヘン絵本シリーズ

「王女様とメルヘン泥棒～暗黒メルヘン絵本シリーズZERO」
978-4-88375-497-7／B5判・64頁・並製・税別2000円
●訪問者は、実は「メルヘン泥棒」だった！ 黒木こずゑ、たま、鳥居椿、須川まきこ、深瀬優子の絵と、最合のぼるとの幻想ヴィジュアル物語!!

深瀬優子(絵) 最合のぼる(文・写真・構成)
「柔らかなビー玉～暗黒メルヘン絵本シリーズ5」
978-4-88375-470-0／B5判・64頁・カバー装・税別2255円
●「赤ずきん」「ピーター・パン」「星のひとみ」など、おなじみの童話を元に生み出された、可愛らしくもダークなヴィジュアル物語！

◎写真集

村田兼一 写真集「宵待姫 十三夜」
978-4-88375-469-4／B5判・96頁・ハードカバー・税別3200円
●村田兼一の原点、禁断の手彩色写真集！ エロスとタナトスが交錯する13の秘密の夜。自身が見た夢などを添えた濃密な魔術的世界。

珠かな子 写真集「蜜の魔法」
978-4-88375-489-2／B5判・80頁・カバー装・税別2500円
●幸せの魔法が強くなるように――11人のモデルを優しくリスペクトする視線で、エロスとイノセンスをあわせ持つ魅力を写した写真集。

珠かな子 写真集「肌に降る七星」
978-4-88375-446-5／B5判・80頁・カバー装・税別2500円
●「日差しを浴びてその肌は、小さな星屑がスパークするかのようにきらめいていた」――珠かな子が、七菜乃の原初の力と「蜜」を写す！

美島菊名 写真作品集「HOPE」
978-4-88375-308-6／B5判・64頁・ハードカバー・税別2750円
●少女よ あなたは 世界を変える――少女の無垢と欲望を、インパクトあるヴィジュアルで表現してきた美島菊名、初の写真作品集！

谷敦志 写真集「Flowers and Nudes」
978-4-88375-284-3／A4判・64頁・ハードカバー・税別3800円
●透き通るような静けさをまとう、ヌードと花。進化し続ける孤高のアーティストの「今」が詰まった、最新写真集！ A4サイズの豪華版！

◎北見隆作品集

北見隆 装幀画集「書物の幻影」
978-4-88375-398-7／B5判・96頁・ハードカバー・税別3200円
●赤川次郎、恩田陸、中島らも、津原泰水…あのワクワクは、この絵とともにあった！ 40年の装幀画業から、約400点を収録した決定版画集！

北見隆 作品集「本の国のアリス～存在しない書物を求めて」
978-4-88375-223-5／A5判・64頁・ハードカバー・税別2750円
●本そのものが、「アリス」の物語の、愉快な舞台〈ワンダーランド〉に！ 本の形をした"ブックアート"を中心に、不思議な物語に満ちた作品集!!

◎ExtrART（エクストラート）〜異端派ヴィジュアルアート誌

file.36◎FEATURE：白昼夢の劇場／少女の遊戯
A4判・112頁・並装・1250円（税別）・ISBN978-4-88375-492-2
●朱華、SAKURA、大野泰雄、森本ありや、石松千明、Zihling、濱口真央、中井結、緋衣汝香優理、喜藤敦子、佐藤文音、山田ミンカ、都築琴乃（遊）ほか

file.35◎FEATURE：幻想の王国へ、ようこそ。
A4判・112頁・並装・1250円（税別）・ISBN978-4-88375-486-1
●エセム万、網代幸介、塚本紗知子、松本ナオキ、ミルヨウコ、雛菜雛子、塚本穴骨、田中流、下山直紀、村上仁美、沖綾乃、ジュリエットの数学、すうひゃん。

file.34◎FEATURE：美のゆらぎ、闇の鼓動
A4判・112頁・並装・1250円（税別）・ISBN978-4-88375-479-3
●三谷拓也、高久梓、安藤朱里、日野まき、藤浪理恵子、西村藍、六原龍、戸田和子、SRBGENk、shichigoro-shingo、雪駄、異形のヴンダーカンマー展

file.33◎FEATURE：聞こえぬ声を聞く
A4判・112頁・並装・1250円（税別）・ISBN978-4-88375-471-7
●土谷寛枇、小野隆生、Sui Yumeshima、鶴見厚子大西茅布、芳賀一洋、駒形克哉、清水真理、松平一民、TARO賞展、i.m.a.展

file.32◎FEATURE：たましいの棲むところ
A4判・112頁・並装・1200円（税別）・ISBN978-4-88375-466-3
●衣[hatori]、安藤榮作、村上仁美、西條冴子、FREAKS CIRCUS、岡本瑛里、宮崎まゆ子、前田彩華、アンタカンタ、たま、mumei、真木環

file.31◎FEATURE：動物と花のワンダー！
A4判・112頁・並装・1200円（税別）・ISBN978-4-88375-459-5
●石塚隆則、吉田泰一郎、森勉、水野里奈、萩原和奈可、永見由子、珠かな子、椎木かなえ、金澤弘太、雫石知之、Sitry、呪みちる×古川沙織

file.30◎FEATURE：揺らぐ心象の迷宮
A4判・112頁・並装・1200円（税別）・ISBN978-4-88375-452-6
●宮本香那、ÔБ、川上勉、高松潤一郎、田中流、大山菜々子、塩野ひとみ、かつまたひでゆき、Ma marumaru、シン・ニッポン風土記 ほか

file.29◎FEATURE：見る／見えることの異相
A4判・112頁・並装・1200円（税別）・ISBN978-4-88375-442-7
●金巻芳俊、倉崎稜希、泥方陽菜、山村まゆ子、根橋洋一、平良志季、書正、吉田有花、高齊りゅう、奥村あか、須川まきこ ほか

file.28◎FEATURE：少女への夢想曲
A4判・112頁・並装・1200円（税別）・ISBN978-4-88375-436-6
●イヂチアキコ、くるはらきみ、九鬼匡規、鈴木那奈、傘嶋メグ、蕾／pick up＝吉岡里奈、中尾変、吉田和夏、清水真理、田中流、林美登利

file.27◎FEATURE：死を想い、生を描く
A4判・112頁・並装・1200円（税別）・ISBN978-4-88375-430-4
●亀井三千代、伊東明日香、村上仁美、ある紗、田中童夏、キジメッカ、多賀新、東學、山本竜基、高瀬実穂子、北見隆、後藤麦×今大路智枝子

file.26◎FEATURE：リアルを紡ぎ出す
A4判・112頁・並装・1200円（税別）・ISBN978-4-88375-417-5
●戸泉恵徳、建石修志、山中綾子、田川弘、中島綾美、吉田有花×宮崎まゆ子×きゃらあい、蝿田式、四学科松太、寺澤智恵子ほか

file.25◎FEATURE：ヒトガタは語る
A4判・112頁・並装・1200円（税別）・ISBN978-4-88375-408-3
●三浦悦子、Mekkedori、ヒロタサトミ、垂狐、田野敦司、日隈愛香、横倉裕司、羅入、成田朱希、サワダモコ、山本有彩、塙興子ほか

file.24◎FEATURE：幽玄を垣間見る
A4判・112頁・並装・1200円（税別）・ISBN978-4-88375-395-6
●上田風子、高田美苗、濱口真央、奥田鉄、土田圭介、南花奈、白野有、武田海、村山大明、日影眩、神宮字光、黒木こずゑ×最合のぼる

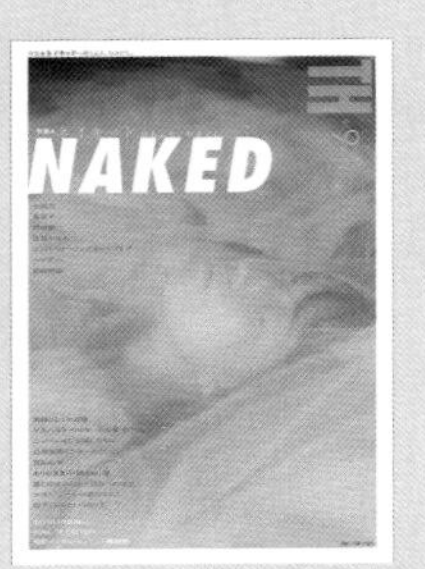

◎トーキングヘッズ叢書（TH Seires）

No.94 ネイキッド〜身も心も、むきだし。
A5判・208頁・並装・1444円（税別）・ISBN978-4-88375-494-6
●心の枷を解き放とう――そう訴えかけてくるものたち。七菜乃、真珠子、村田兼一、ストロベリーソングオーケストラ、加藤かほる、ゲルハルト・リヒターの肖像、羞恥心考、『まぼろしの市街戦』、エゴン・シーレの歪なエロス、公衆浴場、異物としての裸体、翼と裸体、ありのままの「脱ぎ恥」論、結城唯善インタビューほか

No.93 美と恋の位相／偏愛のカタチ
A5判・224頁・並装・1444円（税別）・ISBN978-4-88375-488-5
●「美」に幻惑され、偏愛的、狂的、病的な愛に憑かれた者たちの物語――美しき吸血鬼像、クレオパトラ、ベニスに死す、桜の森の満開の下、乱歩式人形愛の美学、ヴェルレーヌと美少年ランボー、少女人形フランシーヌが見せた夢、コスプレで上流階級を魅了した美女エマ・ハミルトン、八田拳（みこいす）インタビュー他

No.92 アヴァンギャルド狂詩曲〜そこに未来は見えたか？
A5判・224頁・並装・1444円（税別）・ISBN978-4-88375-481-6
●新たな価値観を創出することを志したアヴァンギャルド的表現を見直し、新たな多様な表現を眺望してみよう！ マン・レイ、合田佐和子、田部光子、ヴェネチア・ビエンナーレ、舞踏はいまも前衛か、きゅんくんインタビュー、アヴァンギャルド映画、未来派とバウハウス、寺山修司による『市街劇ノック』、月刊漫画ガロの足跡他

No.91 夜、来たるもの〜マジカルな時間のはじまり
A5判・224頁・並装・1444円（税別）・ISBN978-4-88375-473-1
●「魔」的なものが支配する時間、それが夜だ！ 神は闇を渡る、『稲生物怪録』、児童文学と少年少女の夜、裸のラリーズという《夜の夢》、ドイツ表現主義映画、『ナイトホークス』、稲垣足穂、埴谷雄高、『百億の昼と千億の夜』、妖精たちの長くて短い夜、『夜のガスパール』、金縛り・過眠症・夢遊病、高千穂の夜神楽他

No.90 ファム・ファタル／オム・ファタル〜狂おしく甘美な破滅
A5判・224頁・並装・1389円（税別）・ISBN978-4-88375-467-0
●危険な魔性の女、魔性の男たち――エヴァ、イザナミからラムまで、かぐや姫の正体、女奇術師・松旭斎天勝、カサノヴァの艶なる恋、高級娼婦コーラ・パール、クラーナハ、ジャンヌ・モロー、松本俊夫『薔薇の葬列』、キューブリック、横溝正史の美少年像、オペラ『カルメン』、妲己のお百、トレヴァー・ブラウン、アーバンギャルド他

No.89 魔都市狂騒〜都市の闇には、物語がある。
A5判・224頁・並装・1389円（税別）・ISBN978-4-88375-461-8
●都市の狂騒的な享楽と、頽廃的な闇――上海、ベルリン、ニューヨーク、円都と歌姫、東洋の魔窟・九龍城砦、酔いどれと怪物〜大都市ロンドン近代化の影、コペンハーゲンにあるヒッピーたちの独立自治村、美魔都市・京都、観音、遊郭から一大歓楽街へ〜浅草の歴史、ゴッサム・シティの光と影、都市から生まれる都市伝説他

No.88 少女少年主義〜永遠の幼な心
A5判・224頁・並装・1389円（税別）・ISBN978-4-88375-456-4
●永遠を夢見る少女、少年の魂は、時代や性差、生死をも超える―［図版構成］たま、須川まきこ、戸田和子、パメラ・ビアンコ、村田兼一、甲秀樹他／「恐るべき子供たち」などに見る少年少女たちの死と再生、少女主義者たちの文学、「不思議の国のアリス」の姉をめぐって、庵野秀明と宮崎駿、『紅楼夢』、鷗外と芥川のヴィタ・セクスアリス他

No.87 はだかモード〜はだける、素になる文化論
A5判・208頁・並装・1389円（税別）・ISBN978-4-88375-444-1
●タブー視されてきた「はだか」、そして「はだけること」をめぐる文化の諸相。珠かな子、七菜乃、彫師・SHIGEインタビュー、人はなぜ裸という無垢を捨てたか、黒田清輝と裸体画論争、偏愛のヌーディズム、絵本『すっぽんぽんのすけ』、映画におけるヌード表現史、バタイユとクロソウスキー、銭湯・温泉主義者たちの裸のユートピア他

アトリエサードの出版物の購入のしかた・通信販売のご案内

●アトリエサードの出版物が書店店頭にない場合は、書店へご注文下さい（発売＝書苑新社と指定して下さい。全国の書店からOK）。
●Amazonなどネット書店もご活用下さい。

●出版物の詳細はサイト http://www.a-third.com/ へ！ ネット通販でもご購入できます。
■各書籍の詳細画面でショッピングカートがご利用になれます。■郵便振替／代金引換／PayPal で決済可能。

■インターネットをご利用になれない方は、郵便局より郵便振替にて直接ご送金いただいても結構です（ここに掲載している値段は税別なので、必ず消費税を加算して下さい。送料は不要。また連絡欄に希望書名・冊数を明記のこと）。入金の通知が届き次第、発送します（お手元に届くまで、だいたい5〜10日ほどお待ち下さい）。振込口座／00160−8−728019　加入者名／有限会社アトリエサード
■また TEL.03-6304-1638 にお電話いただければ、代金引換での発送も可能です（取扱手数料350円が別途かかります）

出版物一覧

アトリエサードHP

AMAZON（書苑新社発売の本）